세종
한국어

교사용 지도서

1

문화체육관광부
국립국어원

발간사

최근 전 세계인이 접하는 한류 콘텐츠의 규모가 늘어나면서 한류 문화가 확산되고 있고, 그 결과로 한국어를 배우고자 하는 외국인 학습자의 기세가 매우 놀랍습니다. 세계 곳곳이 코로나19로 침체기를 겪던 2021년에도 한국어능력시험 응시자는 30만 명을 훌쩍 넘었으며, 문화체육관광부의 세종학당은 2007년 13곳에서 2022년에는 84개국 244개소로 증가하였습니다. 이러한 한류의 지속적인 확산을 뒷받침하기 위해서는 한국어교육의 탄탄한 지원이 필요합니다.

한류 콘텐츠와 함께 성장하는 한국어교육의 토대를 다지기 위해, 문화체육관광부와 국립국어원은 2011년 처음 발간된 《세종한국어》를 새로 다듬기로 하였습니다. 2019년부터 기초 연구를 시작한 교재 개정 작업은 3년의 시간을 들여, 2022년 드디어 새로운 《세종한국어》를 펴내게 되었고, 이를 세종학당재단과 함께 알리게 되었습니다.

새롭게 개정된 《세종한국어》는 첫째, 세종학당 곳곳에서 한국어를 배우고자 하는 열의로 가득 찬 외국인 학습자 중심의 교재를 지향하였습니다. 둘째, 현지 세종학당의 학습 환경에 따라 유연하게 활용할 수 있는 맞춤형 교재로 정비되었습니다. 셋째, 한류 콘텐츠에 대한 외국인들의 관심을 내용에 반영함으로써, 한국어 공부에 대한 학습자의 부담을 낮췄습니다. 마지막으로 세종학당을 대표하는 표준 교재로서 구심점 역할을 담당하고, 이후의 한국어 학습을 위한 연계성도 잘 갖추었습니다.

세종학당은 한국어와 한국 문화로 한국과 세계를 연결하는 대한민국 대표의 국외 한국어교육 기관입니다. 국립국어원과 문화체육관광부는 앞으로도 세종학당재단과 협력하여 전 세계에서 한국어를 사랑하는 이들이 꿈을 이룰 수 있도록 지속적인 노력과 지원을 아끼지 않겠습니다.

끝으로 교재 개발을 위해 최선의 노력을 기울여 주신 연구·집필진과 출판사 관계자분들께 진심으로 감사의 말씀을 드립니다. 《세종한국어》의 새로운 출발과 함께 문화체육관광부와 국립국어원, 세종학당재단이 세계로 더 나아갈 수 있도록 여러분의 따뜻한 관심 부탁드립니다.

2022년 8월
국립국어원장 장소원

머리말

세종학당은 한국과 전 세계를 연결하는 한국어·한국 문화 보급 기관입니다. 이번에 개발한 교재는 상호 문화주의에 기반하여 한국어 학습에 대한 학습자의 흥미를 증진함으로써 한국어 의사소통 능력을 향상시키는 것을 목표로 하였습니다. 이를 위해 최근 한국의 상황을 적극적으로 반영하였고 최신 교수법을 구현할 수 있는 새로운 구성과 디자인을 적용하였습니다. 이를 통해 국외 한국어교육의 방향성을 새롭게 제시하고자 하였습니다. 개정 《세종한국어》의 구체적 특징은 다음과 같습니다.

첫째, 세종학당의 표준 교육과정인 가형, 나형, 다형 전 과정에 탄력적으로 활용할 수 있도록 '기본 교재'와 '더하기 활동 교재'로 구분하였습니다. '기본 교재'에는 해당 등급에 필요한 핵심적인 내용을 담았으며, '더하기 활동 교재'에는 심화·확장이 필요한 언어 지식과 의사소통 활동을 담았습니다. 이를 통해 다양한 학습자 특성에 맞게 교재를 선택하여 사용할 수 있도록 하였습니다.

둘째, 효과적 교수·학습을 위해 단계별로 단원 구성을 차별화하였으며 학습 내용 또한 언어 발달 단계에 맞는 교수 학습 내용과 절차를 적용하였습니다. 특히 다양한 삽화와 시각적 자료를 적극적으로 제시하여 한국어 학습의 흥미를 극대화할 수 있도록 노력하였습니다.

셋째, 교재 전반에 생생한 한국 문화 내용을 배치하여 학습자들이 상호 문화적 관점에서 한국 문화를 이해하고, 궁극적으로는 자국의 문화와 한국 문화에 대한 바른 태도를 형성할 수 있도록 하였습니다.

넷째, 교재와 함께 '익힘책', '교사용 지도서', '어휘·표현과 문법', 수업용 PPT와 같은 보조 자료들을 개발하여 교사·학습자의 요구에 맞게 교재를 활용할 수 있도록 하였습니다.

이 교재를 기획하고 개발하는 모든 과정에 함께해 주신 국립국어원과 현지 학당과의 협조와 지원을 아끼지 않으신 세종학당재단, 그리고 학습자들이 재미있게 한국어를 배울 수 있도록 멋지게 디자인해 주신 공앤박출판사에 감사의 마음을 전하고 싶습니다. 끝으로 3년이라는 긴 시간 동안 오로지 한국어교육에 대한 열정으로 좋은 교재를 만들어 내기 위해 애써 주신 모든 집필진께 말로는 다할 수 없는 깊은 감사의 마음을 전합니다.

2022년 8월
저자 대표 이정희

차례

1부

공통 내용

1. 교재의 구성

이 교재는 [기본 교재]와 [더하기 활동 교재]로 구성되어 있다. [더하기 활동 교재]에서 '어휘와 표현', '문법' 앞의 '+'는 [기본 교재]의 확장된 연습이나 활동을 의미한다. 즉, [기본 교재]의 '어휘와 표현'에서 제시한 내용을 바탕으로 더 많은 연습이나 활동을 통해 자연스럽게 습득이 가능하도록 [더하기 활동 교재]의 '+어휘와 표현'을 구성하였다. [기본 교재]와 [더하기 활동 교재]의 구성은 다음과 같다.

[기본 교재]

도입	어휘와 표현	문법 1	문법 2	활동 1	활동 2

[더하기 활동 교재]

언어 지식		의사소통	
+어휘와 표현	+문법	듣고 말하기	읽고 쓰기

〈[기본 교재]와 [더하기 활동 교재]의 구성〉

[기본 교재]는 세종학당 〈가〉형 교육과정에 적합하다. 〈나〉형의 교육과정을 운영하는 세종학당에서는 학습자의 요구를 반영하여 [기본 교재]에 [더하기 활동 교재]를 추가해 수업을 할 수 있다. 언어 지식 함양에 대해 학습자 요구가 높은 학당에서는 [기본 교재]에 [더하기 활동 교재]의 '+어휘와 표현', '+문법'을 선택 추가할 수 있으며, 의사소통 능력 함양에 대한 학습자 요구가 높은 학당에서는 [기본 교재]에 [더하기 활동 교재]의 '듣고 말하기', '읽고 쓰기'를 선택 추가하여 수업 운영이 가능하다. 〈다〉형의 교육과정을 운영하는 세종학당에서는 [기본 교재]에 [더하기 활동 교재]를 모두 선택하여 수업하는 방식도 가능하다. 〈가〉, 〈나〉, 〈다〉의 교육과정 유형별 차시 구성의 예시는 다음과 같다.

교육과정 유형	권장 수업 시수	활용 교재
〈가〉형	주 3차시(150분)	[기본 교재] 전체
〈나〉형	주 4~5차시(200~250분)	[기본 교재] 전체 + [더하기 활동 교재] 일부
〈다〉형	주 6차시(300분)	[기본 교재] 전체 + [더하기 활동 교재] 전체

〈교육과정 유형별 차시 구성 및 활용 교재〉

〈가〉, 〈나〉, 〈다〉형 교육과정에서 유형에 상관없이 모두 [기본 교재]는 필수적으로 사용하되 [더하기 활동 교재]는 학당별로 추가 선택이 가능하므로 학당별 교재 구현을 지향한다. 1단계 교재는 1A, 1B로 나누어지며, 1A는 입문편과 10개 단원, 1B는 12개 단원으로 구성되어 있다. 교재 1권을 한 학기 또는 두 학기에 사용하는 학당에서는 다음과 같이 교재를 활용해 학기를 운영할 수 있다.

한 학기 교재 1권 사용	오리엔테이션	1~6과	복습, 문화 활동, 중간 평가 등	7~12과	수료 평가
두 학기 교재 1권 사용	오리엔테이션	1~3과	복습, 문화 활동 등	4~6과	중간 평가
	오리엔테이션	7~9과	복습, 문화 활동 등	10~12과	수료 평가

〈 학기별 운영 상황에 따른 교재 활용의 예시 〉

2. 교육과정(시수)에 따른 교재 활용

　본 교재는 [기본 교재]와 [더하기 활동 교재]로 구성되어 있으므로 교육과정 유형(시수)에 따라 다양한 활용이 가능하다. 다만 [기본 교재]는 해당 수준에서 다뤄야 할 핵심 내용을 담고 있고 [더하기 활동 교재]는 [기본 교재]를 토대로 더 많은 연습과 활동이 추가된 것이므로 이를 학당별 시수에 적합하게 적용할 것을 권장한다. 〈가〉형의 150분 수업, 〈나〉형의 200분 및 250분 수업, 〈다〉형의 300분 수업을 예로 들어 제시하면 다음과 같다. 아래 표에서 [기본 교재]가 활용되는 부분은 ▢ 으로, [더하기 활동 교재]가 활용되는 부분은 ▢ 으로 표시하였다.

〈가〉형 기본 수업 = 150분(3시수)

항목	도입	어휘와 표현	문법 1	문법 2	활동 1	활동 2	정리
권장 시간	15′	35′	25′	25′	20′	25′	5′
주 3회	1교시		2교시		3교시		
주 2회	1교시		2교시				
주 1회	1교시		차주 1교시				

　일주일에 150분 또는 3시간 수업으로 한 학기에 1A나 1B를 가르치는 학당에서는 [기본 교재]를 순서대로 모두 가르칠 것을 권장한다. 이때 [더하기 활동 교재] 중 '+어휘와 표현', '+문법 1, 2'는 과제로 제시하여 언어 지식에 대한 연습을 하게 할 수 있다. 이를 통해 언어 기능 수업, 즉 '활동 1, 2' 수업이 원활하게 진행되는 것을 도울 수 있을 것이다.

〈나〉형 지식 강화 수업 = 200분(4시수)

항목	도입	어휘와 표현	+어휘와 표현	문법 1	+문법 1	문법 2	+문법 2	활동 1	활동 2	정리
권장 시간	10′	25′	15′	25′	25′	25′	25′	20′	25′	5′
주 4회	1교시			2교시		3교시		4교시		
주 3회	1교시				2교시			3교시		
주 2회	1교시					2교시				

일주일에 200분 또는 4시간 수업으로 한 학기에 1A나 1B를 가르치는 학당에서는 [기본 교재]의 '도입'과 '어휘와 표현' 학습 후 [더하기 활동 교재]의 '+어휘와 표현'을 확장하여 가르칠 수 있다. 또한 [기본 교재]의 '문법 1, 2'를 가르친 후 [더하기 활동 교재]의 '+문법 1, 2'를 학습할 수 있다.

〈나〉형 활동 강화 수업 = 200분(4시수)

항목	도입	어휘와 표현	문법 1	문법 2	활동 1	듣고 말하기	활동 2	읽고 쓰기	정리
권장 시간	15′	35′	25′	25′	25′	25′	25′	20′	5′
주 4회	1교시		2교시		3교시		4교시		
주 3회	1교시			2교시			3교시		
주 2회	1교시				2교시				

일주일에 200분 또는 4시간 수업으로 한 학기에 1A나 1B를 가르치는 학당에서는 [기본 교재]의 '도입'과 '어휘와 표현', '문법 1, 2', '활동 1'을 가르치고 [더하기 활동 교재]의 '듣고 말하기'를 가르칠 수 있다. 이어서 [기본 교재]의 '활동 2'를 가르친 후 [더하기 활동 교재]의 '읽고 쓰기'를 가르칠 수 있다. 이는 [기본 교재] '활동 1'의 확장 개념으로 [더하기 활동 교재]의 '듣고 말하기', [기본 교재] '활동 2'의 확장 개념으로 [더하기 활동 교재]의 '읽고 쓰기'가 고안되었기 때문이다. '활동 1, 2'에 덧붙여 [더하기 활동 교재]를 활용할 때에는 '듣고 말하기'나 '읽고 쓰기' 가운데 학당 특성에 맞게 더 필요한 한 가지 기능, 즉 '말하기'나 '쓰기'에 집중하여 해당 수업을 운영할 수도 있다.

〈나〉형 집중 수업 = 250분(5시수)

항목	도입	어휘와 표현	+어휘와 표현	문법 1	+문법 1	문법 2	+문법 2	활동 1	듣고 말하기	활동 2	읽고 쓰기	정리
권장 시간	10′	25′	15′	25′	25′	30′	20′	25′	25′	25′	20′	5′
주 5회	1교시			2교시		3교시		4교시		5교시		
주 4회	1교시				2교시			3교시		4교시		
주 3회	1교시				2교시				3교시			

일주일에 250분 또는 5시간 수업으로 한 학기에 1A나 1B를 가르치는 학당에서는 [기본 교재]의 '도입'과 '어휘와 표현'을 가르친 후 [더하기 활동 교재]의 '+어휘와 표현'을 가르친다. 이어 [기본 교재]의 '문법 1'을 가르친 후 [더하기 활동 교재]의 '+문법 1', [기본 교재]의 '문법 2'를 가르친 후 [더하기 활동 교재]의 '+문법 2'를 가르친다. 4교시에는 [기본 교재]의 '활동 1'을 가르친 후 [더하기 활동 교재]의 '듣고 말하기'를 가르친다. 마지막 5교시에는 [기본 교재]의 '활동 2'를 가르친 후, [더하기 활동 교재]의 '읽고 쓰기'를 가르친다. '활동 1, 2'에 덧붙여 [더하기 활동 교재]를 활용할 때에는 '듣고 말하기'나 '읽고 쓰기' 중에서 학당 특성에 맞게 더 필요한 한 가지 기능, 즉 '말하기'나 '쓰기'에 집중하여 해당 수업을 운영할 수도 있다.

〈다〉형 심화 수업 = 300분(6시수)

항목	도입	어휘와 표현	+어휘와 표현	문법 1	+문법 1	문법 2	+문법 2	활동 1	듣고 말하기	읽고 쓰기	활동 2	정리
권장 시간	15′	35′	25′	25′	25′	25′	25′	25′	25′	25′	45′	5′
주 6회	1교시		2교시		3교시		4교시		5교시		6교시	
주 5회	1교시			2교시			3교시		4교시		5교시	

항목	도입	어휘와 표현	+어휘와 표현	문법 1	+문법 1	문법 2	+문법 2	활동 1	듣고 말하기	활동 2	읽고 쓰기	정리
권장 시간	15′	35′	25′	25′	25′	25′	25′	25′	25′	45′	25′	5′
주 4회	1교시			2교시			3교시			4교시		
주 3회	1교시				2교시				3교시			

일주일에 300분 또는 6시간 수업으로 한 학기에 1A나 1B를 가르치는 학당에서는 [기본 교재]와 [더하기 활동 교재]를 순서대로 모두 가르칠 것을 권장한다. 다만 50분 단위의 수업을 운영하는 학당에서는 [기본 교재]의 '활동 2'를 마지막 한 차시에 할애해 운영할 수 있으며, 75분 이상 단위의 수업을 운영하는 학당에서는 [기본 교재]의 '활동 2'를 먼저 수업하고 [더하기 활동 교재]의 '읽고 쓰기' 수업을 권장한다. 심화 수업에서는 '활동 2'의 수업 시간을 충분히 확보해 '쓰기 후' 활동까지 해당 수업에서 운영할 수 있다.

3. 교재 활용 및 세부 지침

[기본 교재]와 [더하기 활동 교재]는 다음과 같이 구성되었으므로 이를 참고해 수업에서 활용할 수 있다.

도입

    [기본 교재]의 '도입'은 해당 단원의 주제와 관련이 있는 장면이나 한국의 문화 지식을 제시하고자 하였다. 또한 해당 단원에서 배울 내용에 대한 배경지식을 활성화하여 학습자들이 재미있고 쉽게 주제에 친숙해지도록 하였다. 따라서 도입 부분의 사진 / 삽화를 통해 생각해 보거나 도입의 질문을 통해 말해 보기 등을 충분히 할 수 있도록 한다.

- '도입'은 총 2쪽으로 이루어져 있다. 첫 번째 페이지는 단원명, 관련 사진/삽화, 학습 목표로 이루어져 있으며 두 번째 페이지는 주제 관련 사진/삽화 자료와 도입 질문으로 구성되어 있다.

- 먼저, 수업이 시작되면 도입의 첫 번째 페이지를 학습자들과 함께 살펴본다. 사진/삽화를 함께 보면서 2~3가지 질문을 통해 해당 시간에 학습할 주제에 학습자들이 관심을 갖고 스키마를 형성할 수 있도록 한다.

- 학습자들에게 해당 시간에 배울 주제와 학습 목표에 대해 간단하게 설명한 후, 두 번째 페이지로 넘어가 사진/삽화를 보면서 교재에 제시된 질문을 한다. 학습자들이 주제에 관련된 개인적인 경험을 생각해 대답해 볼 수 있도록 한다.

[기본 교재]의 '어휘와 표현'은 해당 단원의 주제와 관련된 대표적인 어휘를 선정하되 덩어리 표현도 함께 제시하여 언어 사용에 초점을 두었다. '어휘와 표현'은 제시, 기계적 연습, 유의적 연습으로 구성하였다. 의미를 이해하는 활동에서 표현하는 활동으로 확장하여 학습자들이 배운 어휘와 표현을 맥락에 맞게 사용할 수 있도록 하였다. 단원에 따라서는 어휘군이 2개인 경우에는 1번과 2번에 어휘를 제시하였다.

이때 1번은 삽화나 단순한 활동을 통해 기본적인 의미를 익히도록, 2번은 1번에서 배운 어휘의 연습이 가능하도록, 3번은 1번과 2번에서 배운 것이 '자기 발화'로 나타나 내재화되도록 각각 구성하였다.

[더하기 활동 교재]의 '어휘와 표현'은 [기본 교재]에서 배운 내용을 바탕으로 다른 형태의 연습을 할 수 있도록 하였다. 일부 단원의 1번은 [기본 교재]에서 다루지 않은 몇 개의 어휘가 확장될 수 있도록 하여 더 풍부한 언어 사용에 초점을 두었다.

2번 역시 [기본 교재]와 다른 유형의 연습, 게임을 통해 배운 어휘와 표현을 익히도록 하였다. 짝 활동, 모둠 활동으로 구성하여 교실 기반의 활동을 통해 어휘의 연습이 충분히 이루어지도록 하였으며, 학습자 자신의 정보를 활용하여 말하기 활동을 할 수 있도록 구성하였다.

1) 어휘 제시 : **기본 교재** 1번

- 본 수업에서 목표로 하는 '어휘와 표현' 항목을 활용하여 도입 질문을 한다.
- 듣기 파일을 듣고 따라 해 본다. 이때 학습자들의 발음을 잘 듣고 틀린 발음이 있을 경우 간단하게 교정해 준다.
- 단원에 따라 해당 질문에 대해 학습자에게 √ 표시를 하게 하는 단원이 있다. √ 표시를 하는 것이 있는 경우는 먼저 듣기 파일을 듣고 따라 하게 한 후 √ 표시를 하게 하거나, √ 표시를 한 후 듣기 파일을 듣고 표현을 따라 하게 할 수 있다.
- 교재에 제시된 질문을 읽고 해당 질문에 학습자들이 √ 표시를 해 볼 수 있도록 한다. √ 표시가 끝나면 학습자들에게 질문을 하면서 대답을 들어 본다.
- 새 어휘의 의미를 설명한다.
- 새 어휘를 사용할 수 있는 연습 활동을 한다. 그림이나 어휘 카드를 사용해 교사가 학습자들에게 목표 어휘를 활용해 대답할 수 있도록 질문할 수 있으며, 학습자들에게 그림이나 어휘 카드를 나누어 주고 릴레이 연습이나 팀 대항 연습을 하게 할 수 있다.

2) 기계적 연습 또는 의미 확인 : **기본 교재** 2번, **더하기 활동 교재** 1번

- 교재에 제시된 질문을 읽고 〈보기〉를 통해 문제에 대해 설명한다.
- 더하기 활동 교재에서 기본 교재에 제시되지 않은 확장 어휘가 제시된 경우 해당 의미를 설명할 수 있다.
- 학습자들에게 시간을 주고 문제를 풀어 보게 한다.
- 학습자들이 각자 문제를 풀었으면 동료 학습자와 답을 맞춰 보거나 말하기 연습을 하게 한다.
- 학습자들에게 대화를 수행하게 해, 교사와 함께 답을 함께 맞춰 보면서 의미를 확인한다. 이때 가, 나 대화쌍은 교사—학습자, 학습자—학습자 등 다양한 방법으로 질문하고 대답해 볼 수 있다. 교사가 학습자에게 추가 질문을 하거나 학습자들끼리 짝을 지어 묻고 대답하는 방법을 통해 모든 학습자가 말하기 연습을 해 볼 수 있도록 한다.

3) 유의적 연습 또는 간단한 활동 : **기본 교재** 3번, **더하기 활동 교재** 2번

- 교재에 제시된 질문을 읽고 〈보기〉를 통해 문제에 대해 설명한다.
- 학습자들에게 시간을 주고 문제를 풀어 보게 한다.
- 학습자들이 각자 문제를 풀었으면 동료 학습자와 답을 맞춰 보거나 말하기 연습을 하게 한다.
- 학습자들에게 대화를 수행하게 해, 교사와 함께 답을 함께 맞춰 보면서 의미를 확인한다. 이때 가, 나 대화 쌍을 교사—학습자, 학습자—학습자 등 다양한 방법으로 질문하고 대답해 볼 수 있다. 교사가 학습자에게 추가 질문을 하거나 학습자들끼리 짝을 지어 묻고 대답하는 방법을 통해 모든 학습자가 말하기 연습을 해 볼 수 있도록 한다.
- 마지막 항목에서 학습자가 자신의 정보를 활용하는 경우에는 여러 학습자들이 발표할 수 있도록 하며, 틀린 표현이 있을 경우 간단하게 교정해 준다.

연습을 확인하는 방법

1. 교사가 질문을 하면 학습자들이 대답하는 형식으로 정답을 확인한다.
2. 닫혀 있는 질문의 경우 한 문제당 1명의 학습자의 답을 듣고 정답을 확인한 후 추가 질문을 통해 다른 학습자들도 응답을 해 볼 수 있는 기회를 갖도록 한다.
3. 응답이 열려 있는 경우 한 문제당 2~3명의 학습자의 답을 들어 보도록 하여 모든 학습자가 한 번씩은 모두 응답할 수 있도록 한다.
4. 교사가 질문하는 대신 학습자—학습자가 질문하고 답하는 형식을 통해 답을 확인해 볼 수도 있다.

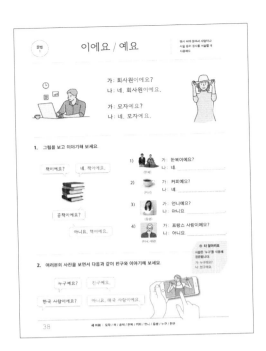

[기본 교재]의 '문법 1, 2'는 해당 단원에서 꼭 배워야 하는 두 개의 필수 항목으로 선정하였다. 그리고 해당 문법 항목을 언제 사용해야 하는지에 대한 의미 중심의 설명은 해당 문법 옆에 밝혀 두었다. 무엇보다 수업에서 교사가 문법 항목의 설명, 즉 도입을 삽화를 활용해 진행할 수 있도록 하였다. 따라서 삽화를 보면서 해당 문법의 의미를 학습자가 유추해 보기를 권장한다.

1번은 단순하고 유도된 연습을 통해 해당 문법을 익히도록 하였다. 2번은 1번에서 익힌 연습의 확장 또는 유의적 연습으로 짝 활동, 모둠 활동으로 구성하였다.

해당 문법의 형태적인 연습은 '익힘책'에 두었다. 익힘책은 독학용 교재로 제작되었으나 학습자의 언어 수준과 요구에 따라 교사가 이를 적절히 활용할 수도 있다.

[더하기 활동 교재]의 문법은 [기본 교재]에서 배운 '문법 1, 2'에 대한 확장으로 고안되었다. 즉 더 많은 연습을 하기 위한 것이다. [기본 교재]의 연습과는 다른 유형을 제시하였으며 학습자에게 유의미한 연습이 되도록 함과 동시에 인지적 자극이 될 수 있는 연습이 되도록 하였다.

또한 교실 내에서 다양한 짝 활동, 모둠 활동이 가능하도록 구성하였다. 특히 게임을 통한 활동은 더 많은 시간을 배분하여 진행할 수 있도록 하였으므로 수업에서 교사가 이를 적절히 활용하도록 권장한다.

1) 목표 문법 및 예문 제시 : 기본 교재 상단

- 제시된 삽화와 관련된 질문을 학습자들에게 던지며 도입한다.
- 질문하고 대답하는 과정을 통해 자연스럽게 목표 문법을 노출하도록 한다.
- 문법의 형태를 제시하고 의미를 설명한다. 각 문법의 규칙, 제약, 추가적인 의미 등을 설명한다.
- 명사／동사／형용사 활용의 경우 단어 카드를 사용해 연습한다.
- 문장 카드를 사용해 연습한다. 목표 문법에 따라 문장 연결을 할 수 있고, 문장에 대한 대답을 할 수 있다.
- 단어 카드나 문장 카드를 사용하는 경우, 교사—학습자뿐 아니라 학습자—학습자 간 질문과 대답 활동 등으로 다양한 연습을 한다.
- 교재에 제시된 문장을 학습자와 함께 읽어 본다.

2) 기계적 연습 또는 문장 완성하기 : 기본 교재 1번, 더하기 활동 교재 1번

- 교재에 제시된 지시문을 읽는다.
- 〈보기〉를 학습자들과 함께 읽어 본다.
- 〈보기〉를 통해 연습 유형을 학습자들에게 설명한다.
- 학습자들에게 시간을 주고 문제를 풀어 보게 한다. 교사는 학습자가 문제를 푸는 동안 교실을 돌아다니며 학습자들이 문제를 잘 풀고 있는지 확인한다.
- 학습자들이 각자 문제를 풀었으면 동료 학습자와 답을 맞춰 보거나 말하기 연습을 하게 한다.
- 학습자들에게 대화를 수행하게 해, 교사와 함께 답을 맞춰 보면서 의미를 확인한다. 이때 가, 나 대화쌍은 교사—학습자, 학습자—학습자 등 다양한 방법으로 질문하고 대답해 볼 수 있다. 교사가 학습자에게 추가 질문을 하거나 학습자들끼리 짝을 지어 묻고 대답하는 방법을 통해 모든 학습자가 말하기 연습을 해 볼 수 있도록 한다.

3) 유의적 연습 또는 간단한 활동 및 대화 완성하기 : 기본 교재 2번, 더하기 활동 교재 2번

- 교재에 제시된 지시문을 읽는다.
- 〈보기〉를 학습자들과 함께 읽어 본다.
- 〈보기〉를 통해 연습 유형을 학습자들에게 설명한다.
- 학습자들에게 시간을 주고 문제를 풀어 보게 한다. 교사는 학습자가 문제를 푸는 동안 교실을 돌아다니며 학습자들이 문제를 잘 풀고 있는지 확인한다.
- 학습자들이 각자 문제를 풀었으면 동료 학습자와 답을 맞춰 보거나 말하기 연습을 하게 한다.
- 학습자들에게 대화를 수행하게 해, 교사와 함께 답을 맞춰 보면서 의미를 확인한다. 이때 가, 나 대화 쌍을 교사—학습자, 학습자—학습자 등 다양한 방법으로 질문하고 대답해 볼 수 있다. 교사가 학습자에게 추가 질문을 하거나 학습자들끼리 짝을 지어 묻고 대답하는 방법을 통해 모든 학습자가 말하기 연습을 해 볼 수 있도록 한다.
- 마지막 항목에서 학습자가 자신의 정보를 활용하는 경우에는 여러 학습자들이 발표할 수 있도록 하며, 틀린 표현이 있을 경우 간단하게 교정해 준다.

활동 1

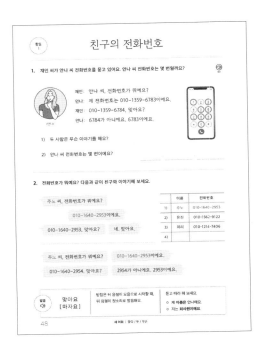

[기본 교재]의 '활동 1'은 '대화문, 듣기, 말하기'에 초점을 두었다. 1번은 해당 단원의 주제로 구성된 모범 대화문을 제시하였다. 모범 대화문의 앞부분에는 어떤 상황에서 대화가 진행되는지를 알 수 있도록 지시문을 두었다. 이는 지시문 자체가 대화문의 배경 지식을 활성화하도록 되어 있으므로 이를 대화문 도입으로 사용할 것을 권장한다. 모범 대화문의 마지막에는 대화문을 듣고 풀 수 있는 이해 확인 질문을 두었다. 이를 통해 '어휘와 표현', '문법'에서 익힌 내용을 파악하도록 하였으므로 이를 수업에서 활용할 수 있다.

2번은 모범 대화문의 압축된 내용으로 구성되어 있으며 특히 교체 연습을 통해 학습자가 쉽게 대화에 익숙해지도록 하였다. 또한 마지막 부분에서는 학습자가 자신의 정보를 활용하여 대화를 만들어 보게 함으로써 유사한 상황에서의 자기 발화가 가능하도록 하였다. 여기에 더 많은 시간이 배분될 수 있다.

또한 짝수 단원에서는 '발음'이 제시된다. '발음'은 대화문에서 제시된 표현 중 1단계 학습자가 언어 지식으로 익힐 때 도움이 되는 항목을 선정하였으며 목표 항목과 실제 발음, 발음의 원리를 제시하였고 연습할 수 있는 예문을 제시하였다.

+듣고 말하기

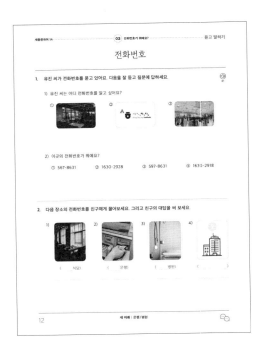

[더하기 활동 교재]의 '듣고 말하기'는 [기본 교재]에서 배운 '활동 1'의 연장이다.

1번에서는 [기본 교재]의 대화문보다는 다소 확장된 수준의 발화를 '듣기'로 제시하였고 이해 확인 질문을 통해 듣기 이해 활동이 가능하도록 하였다.

2번은 들은 내용에 대한 이해는 물론, '듣고 말하기' 활동을 통해 해당 주제에 대해 자기 발화가 가능하도록 하였다. 2번은 짝 활동, 모둠 활동이 가능하므로 더 많은 시간을 배분할 수 있다.

1) 듣기 : **기본 교재** 1번, **더하기 활동 교재** 1번

- 학습자들과 함께 페이지 상단의 제목을 읽어 보고 어떤 주제에 대해 듣고 말할지 간단하게 이야기해 본다. 이때 해당 주제에 대해 학습자들의 개인적인 경험을 질문해 볼 수 있다.
- 지시문을 읽는다. 대화자, 대화 상황이 무엇인지 질문을 통해 확인한다.
- 문제를 읽어 본다. 그리고 제시된 삽화를 보며 학습자들에게 삽화와 관련하여 간단하게 질문해 본다. 이때 듣기에 나올 어휘 중 중요한 어휘 혹은 학습자들이 모를 만한 어휘를 알려 준다.
- 책에 있는 대화문을 보지 않고 듣기를 듣게 한다. 대화 내용과 관련하여 핵심적인 내용을 파악할 수 있는 질문을 한다.
- 듣기를 다시 듣는다. 학습자들이 교재에 제시된 질문에 답할 수 있도록 한다.
- 답을 확인한다. 교재의 질문 이외에도 세부적인 내용을 파악할 수 있는 질문을 해 본다.
- 내용 파악이 끝난 후에는 책을 보지 않고 듣기를 들으며 한 문장씩 따라 말하게 하거나, 학습자들이 동료와 나누어 읽도록 한다.

2) 말하기 : **기본 교재** 2번, **더하기 활동 교재** 2번

- 듣기 내용과 관련 있는 말하기 활동을 해 볼 수 있도록 한다.
- 먼저 1번에서 익힌 대화문을 활용해 도입을 한다.
- 교재에 제시된 〈보기〉를 학습자들과 함께 읽어 본다.
- 마지막 항목에서 학습자가 자신의 정보를 활용하는 경우는 자신의 정보를 작성할 시간을 준다.
- 짝이나 팀을 정해 학습자들이 말하기 활동을 할 수 있도록 한다.
- 일정 시간 연습한 후에 짝 활동이나 팀 활동으로 발표를 해 보도록 한다. 발표의 경우 활동의 특성이나 교실 상황에 따라 유동적으로 운영할 수 있으나 가능한 많은 학습자들이 참여할 수 있도록 한다.

3) 발음 : **기본 교재** 하단

- 대화문에서 해당하는 표현을 어떻게 발음하면 좋을지 질문하며 도입한다.
- 예문을 보며 어떻게 발음될지 학습자들에게 먼저 질문한다.
- 목표 항목과 예문을 통해 발음 규칙을 설명한다.
- 예문을 들으며 발음을 확인한다.
- 학습자들에게 예문을 읽게 하여 발음을 정확히 하는지 확인한다.
- 학습자의 발음이 틀리는 경우 교정해 준다.

<table>
<tr>
<td>

활동 2

</td>
<td>

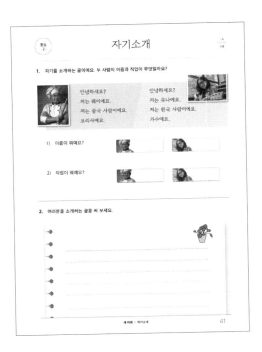

</td>
<td>

[기본 교재]의 '활동 2'는 '읽기, 쓰기'에 초점을 두었다. 1번 지시문은 해당 주제와 관련된 도입 질문으로 활용할 수 있다. 읽기 지문 다음에는 읽은 내용에 대한 이해 확인 질문을 두었다.

2번에서는 읽은 내용을 바탕으로 자신의 이야기를 쓸 수 있도록 하였다. 1번에서 제시된 읽기 지문은 쓰기의 모범 글로서 활용할 수 있도록 하였다.

쓰기 활동의 부분은 학습자의 언어 수준, 요구 등을 고려해 시간 배분을 할 필요가 있다. 가능하면 수업 시간에 할 것을 권장하나, 과제로 제시할 수도 있다.

</td>
</tr>
</table>

<table>
<tr>
<td>

+읽고 쓰기

</td>
<td>

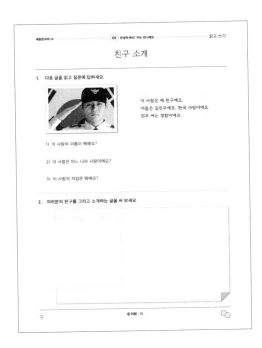

</td>
<td>

[더하기 활동 교재]의 '읽고 쓰기'는 [기본 교재]에서 배운 '활동 2'의 연장이다.

1번에서는 [기본 교재]의 읽기와는 다소 차별화된 지문을 제시하였고, 실생활 자료를 적극적으로 제시하고자 하였다. 이해 확인 질문을 통해 읽기 이해 활동이 가능하도록 하였다.

2번은 읽은 내용을 바탕으로 [기본 교재]와는 다소 차별화된 자신의 이야기를 쓸 수 있도록 하였다. 1번에서 제시된 읽기 지문은 쓰기의 모범 글로 활용할 수 있다. 단원에 따라서는 교실에서 짝 활동, 모둠 활동을 할 수 있도록 쓰기 후 활동에 대한 지시문을 제시하였다. 쓰기 후 활동으로 쓴 내용을 발표하게 하는 활동 등을 진행해 학습 상황에 따라 더 많은 시간을 배분할 수도 있다.

</td>
</tr>
</table>

1) 읽기 : 기본 교재 1번, 더하기 활동 교재 1번

- 학습자들과 함께 페이지 상단의 제목을 읽어 보고 어떤 주제에 대해 읽고 쓸지 간단하게 이야기해 본다. 이때 해당 주제에 대해 학습자들의 개인적인 경험을 질문해 볼 수 있다.
- 지시문을 읽는다. 텍스트의 참여자가 누구이고 상황이 어떠한지를 질문을 통해 확인한다.
- 문제를 읽어 본다. 그리고 제시된 삽화를 보며 학습자들에게 삽화와 관련하여 간단하게 질문해 본다.
- 텍스트를 소리 내어 함께 읽는다.
- 학습자 스스로 텍스트를 읽고 문제를 풀어 볼 수 있는 시간을 준다.
- 학습자들이 동료 학습자들과 답을 맞춰 보게 한다.
- 학습자들에게 질문을 던져 학습자들이 이해하고 있는지 파악한다.
- 학습자들에게 텍스트를 읽게 하거나 교사가 텍스트를 읽으면서 해당 의미를 설명한다.
- 이해하지 못한 부분이 있는지 질문을 하고 이해 정도를 확인한다.

2) 쓰기 : 기본 교재 2번, 더하기 활동 교재 2번

- 읽기 내용을 참고하여 쓰기 활동이 이루어질 수 있도록 한다. 쓰기 주제를 먼저 설명하도록 한다. 그리고 쓰기에 필요한 내용이 무엇인지, 어떤 순서로 내용을 쓰면 좋을지 질문을 통해 끌어내고 간단하게 설명한다.
- 학습자들이 쓸 정보를 메모하고 실제로 쓸 수 있는 시간을 준다.
- 학습자들이 쓰기 활동을 하는 동안 교사는 학습자의 글을 교정해 준다. 이때 맞춤법, 문장 구조 등을 수정해 준다.
- 쓰기 활동이 끝난 후에는 동료 학습자들과 바꾸어 읽거나 발표를 해 보도록 한다. 각 분반의 상황에 맞추어 모든 학습자들이 발표를 해 볼 수도 있고, 원하는 학습자 몇 명 정도만 발표해 볼 수도 있다. 이외에도 다양한 방법을 통해 학습자들이 다른 학습자들의 글을 접해 보고 다양한 글쓰기 방법에 대해 자연스럽게 터득할 수 있도록 한다.

정리

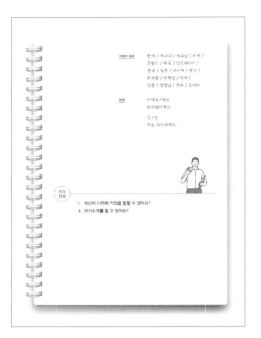

[기본 교재]의 '정리'는 한 단원을 모두 배운 마지막에 이루어지는 것으로 해당 단원에서 배운 '어휘와 표현', '문법'을 정리할 수 있도록 하였다. 특히 목표 문법의 예문을 두어 배운 언어 지식이 장기 기억으로 갈 수 있도록 반복 학습을 염두에 두었다.

'자기 점검'은 해당 단원에서 배운 주제와 기능에 대한 질문을 두어 학습자가 성취한 수준을 확인하고 점검하도록 하였다. '자기 점검'이 형식적인 행위가 되지 않도록 학습자가 직접 배운 주제와 기능에 대해 말해 보게 하는 활동 수행을 권장한다.

기본 교재

- 단원에서 무엇을 배웠는지 질문을 통해서 확인한다. 주제에 대한 대화문을 유도하면 좋다.
  이후에 '어휘와 표현', '문법' 중에 어떤 것을 배웠고 기억이 나는지 질문한다.
- 교재를 보면서 정확히 의미를 알고 있는 '어휘와 표현', '문법'에 표시를 하게 할 수 있다.
- 학습자들에게 '자기 점검'의 질문을 보고 스스로 학습한 바를 점검하게 한다.
- 교수자는 학습자들이 학습한 바 또는 이후에 추가 학습할 것을 격려한다.

4. 교재의 연습 및 활동 유형

1) 간단한 연습 및 활동

① 그림을 보고 듣고 따라 하기

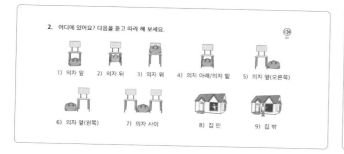

② 알맞은 표현을 연결하고 듣고 따라 하기

③ 알맞은 표현을 찾아 쓰고 듣고 따라 하기

2. 빈칸에 들어갈 요일을 찾아 써 보세요. 그리고 듣고 따라 해 보세요.

	토요일	일요일	화요일	목요일		

3월	6	7	8	9	10	11	12
		월요일		수요일		금요일	

④ 질문에 해당하는 정보에 V 표시하고 듣고 따라 하기

⑤ 그림과 알맞은 표현 연결하기

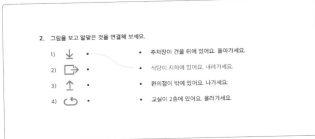

⑥ 알맞은 것 연결하기

⑦ 정보에 대한 순서 쓰기

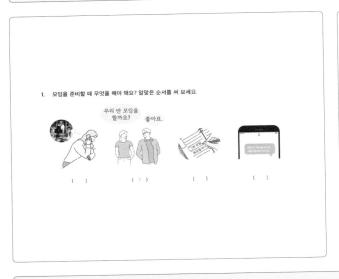

⑧ 그림을 보고 빈칸에 알맞은 것 쓰기

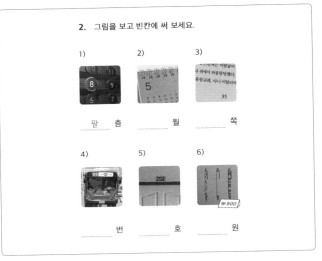

⑨ 그림을 보고 대화를 완성하기

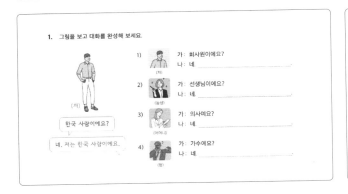

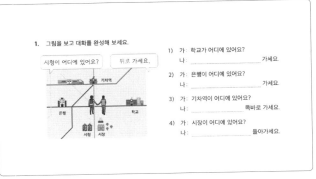

24

⑩ 그림을 보고 이야기하기

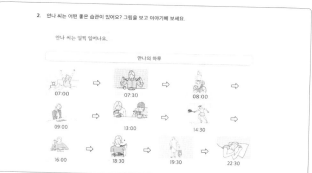

⑪ 알맞은 표현을 연결하고 이야기하기

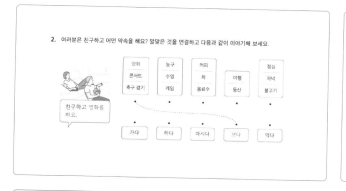

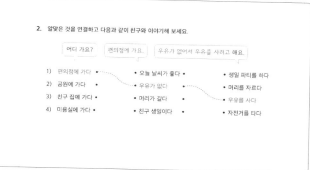

⑫ 정보를 연결하고 이야기하기

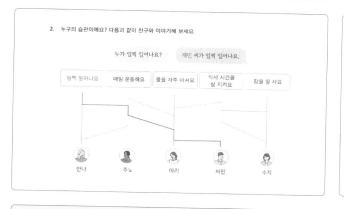

⑬ 알맞은 표현 쓰기

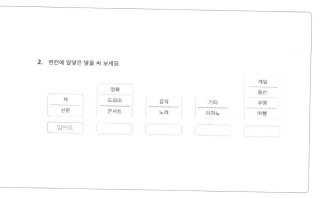

⑭ 알맞은 것 찾아 쓰기

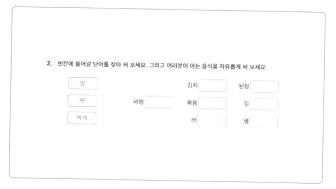

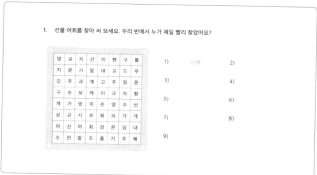

⑮ 알맞은 표현을 찾아 대화나 글 완성하기

1. 알맞은 것을 골라 다음과 같이 대화를 완성해 보세요.

배우나	보다	산책하나
않다	하다	

이번 방학에 같이 태권도를 배울까요?

네, 좋아요.

1) 가: 여기에 _____?
   나: 네. 그래요.

2) 가: 재민 씨, 주말에 농구를 _____?
   나: 네. 좋아요.

3) 가: 이번 주말에 같이 영화를 _____?
   나: 네. 좋아요. 저도 영화를 보고 싶어요.

4) 가: 밥 다 먹었어요? 우리 _____?
   나: 네. 좋아요. 저도 좀 걷고 싶어요.

2. 알맞은 것을 골라 빈칸에 써 보세요.

꼭	가끔	아주	일찍	자주

- 저는 아침에 1)( ) 일어나요. 그리고 물 한 잔을 마셔요. 저는 아침을 2)( ) 먹어요.
- 매일 우유와 빵, 과일을 먹어요. 그리고 저는 운동을 좋아해서 운동을 3)( ) 해요.
- 일주일에 다섯 번쯤 퇴근 후에 헬스클럽에 가요. 그리고 4)( ) 집에서 요가도 해요.
- 주말에는 공원에서 자전거를 타요. 한 시간쯤 타요. 그러면 기분이 5)( ) 좋아요.

⑯ 알맞은 표현을 찾아 쓰고 이야기하기

1. 다음에서 알맞은 것을 골라 문장을 쓰고 친구와 이야기해 보세요.

☑ 빵 □ 책 □ 나무 □ 의자 □ 포도 □ 신발 □ 책상 □ 과자 □ 우유
□ 공책 □ 차 □ 가방

_____ 이에요.   빵이에요. /

_____ 예요.

⑰ 듣고 알맞은 정보 찾기

1. 마리 씨와 유진 씨가 처음 만나서 인사해요. 다음을 잘 듣고 질문에 답하세요.

1) 유진 씨는 어느 나라 사람이에요?

① (한국)   ② (미국)   ③ (일본)

2) 마리 씨의 직업이 뭐예요?

① (학생)   ② (회사원)   ③ (의사)

⑱ 듣고 알맞은 정보 연결하고 쓰기

1. 안나 씨와 유진 씨가 좋아하는 음식을 이야기해요. 두 사람은 무슨 음식을 좋아할까요?

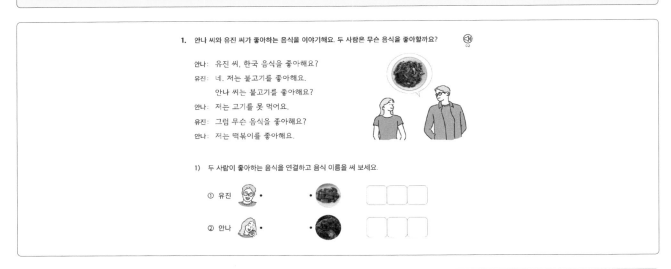

안나: 유진 씨, 한국 음식을 좋아해요?
유진: 네. 저는 불고기를 좋아해요.
      안나 씨는 불고기를 좋아해요?
안나: 저는 고기를 못 먹어요.
유진: 그럼 무슨 음식을 좋아해요?
안나: 저는 떡볶이를 좋아해요.

1) 두 사람이 좋아하는 음식을 연결하고 음식 이름을 써 보세요.

① 유진 •   •   [ ][ ][ ]

② 안나 •   •   [ ][ ][ ]

⑲ 듣거나 읽고 알맞은 답하기

1. 안나 씨와 유진 씨가 가방 이야기를 하고 있어요. 대화를 듣고 다음 물음에 답해 보세요.

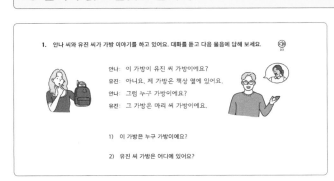

안나: 이 가방이 유진 씨 가방이에요?
유진: 아니요. 제 가방은 책상 옆에 있어요.
안나: 그럼 누구 가방이에요?
유진: 그 가방은 마리 씨 가방이에요.

1) 이 가방은 누구 가방이에요?

2) 유진 씨 가방은 어디에 있어요?

1. 주노 씨 방이에요. 방에 무엇이 있을까요?

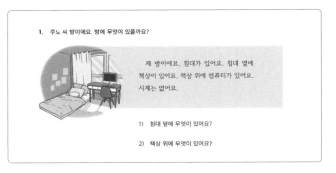

제 방이에요. 침대가 있어요. 침대 옆에 책상이 있어요. 책상 위에 컴퓨터가 있어요. 시계는 없어요.

1) 침대 옆에 무엇이 있어요?

2) 책상 위에 무엇이 있어요?

2) 확장 연습 및 활동

① 알맞은 표현을 찾아 자신의 이야기하기

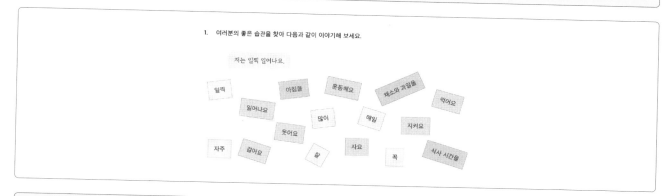

② 주어진 정보를 활용하여 이야기하기

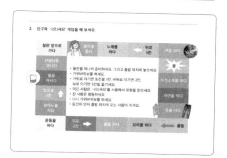

③ 주어진 정보와 자신의 정보를 활용하여 이야기하기

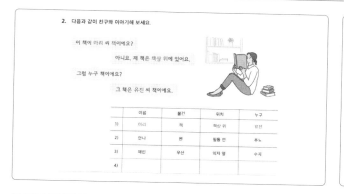
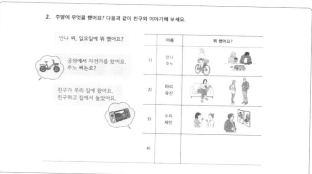

④ 자신과 동료 학습자의 정보를 활용하여 이야기하기

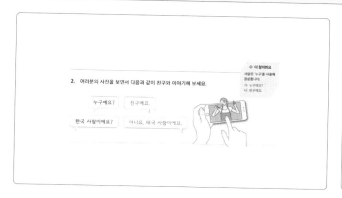
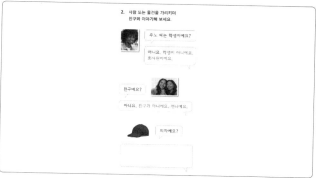

⑤ 자신과 동료 학습자의 정보를 활용하여 이야기하고 쓰기

2. 친구의 전화번호와 이메일 주소를 묻고 써 보세요.

	이름	전화번호	이메일 주소
1)			
2)			
3)			
4)			
5)			

⑥ 그림 보고 쓰기

2. 방에 무엇이 있어요? 그림을 보고 글을 완성해 보세요.

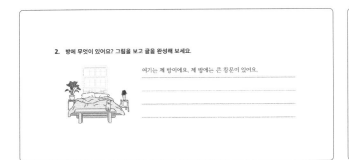

여기는 제 방이에요. 제 방에는 큰 창문이 있어요.

2. 지도를 보고 우리 집에 가는 길을 써 보세요.

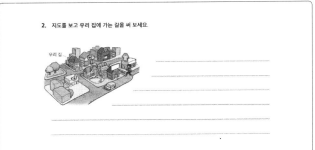

⑦ 자신의 정보를 활용하여 쓰기

2. 여러분은 오늘 무엇을 해요? 써 보세요.

2. 친구하고 어디에 같이 가고 싶어요? 친구에게 보내는 메시지를 써 보세요.

⑧ 자신의 정보를 활용하여 그림을 그리고 쓰기

2. 여러분 방에 무엇이 있어요? 그림을 그리고 써 보세요.

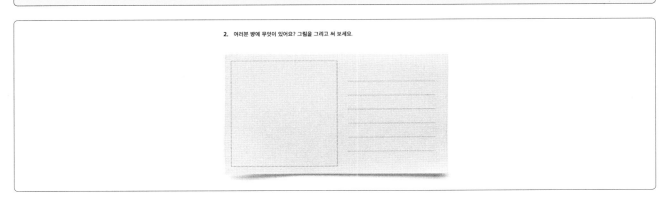

2부

단원별 내용

1A 01

안녕하세요?
저는 안나예요

□ 자기소개를 주제로 한 단원으로, 먼저 한국의 인사법과 학생들 나라의 인사법을 비교해 본다. 선생님은 '안녕하세요?'라고 말하며 고개를 숙여 인사하는 모습을 학생들에게 먼저 보여 주고, 학생들도 자리에서 일어나서 친구들과 서로 인사해 보도록 한다.

□ 37쪽, 1번과 2번의 경우 그림을 보며 나라와 직업 어휘를 따라하고 의미를 익힐 수 있도록 한다. 그림을 통해 의미를 이해시키되, 한글을 읽는 것에 익숙지 않은 경우에는 여러 번 읽고 따라 하며 연습하도록 한다. 또한 1번 문제의 그림에 학생의 나라가 없을 경우, 교사가 칠판에 해당 국가명을 직접 써 주고 학생들에게는 빈 칸에 국기를 그리고 국가명도 써 볼 수 있게 한다. 나라와 직업과 관련된 어휘를 충분히 익힌 후에는 학생들의 나라, 직업에 대해 교사가 학생들에게 개별 질문을 해서 학생들이 자신의 정보를 이용하여 대답할 수 있도록 한다.

□ 37쪽, 3번의 경우 1)번에서 3)번은 짝 활동으로 진행하며, 4)번 항목의 경우에는 같은 반 친구 여러 명에게 질문하고 대답할 수 있도록 하는 것이 더 좋다.

더하기 활동 | 6쪽, 1번

□ 각 나라를 대표하는 특징적인 사진을 보며 국가명을 연결해 보는 문제이다. 문제 풀이 시에 학생들과 해당 사진이 어디인지 함께 이야기를 해 본다. (⑩ 러시아—붉은 광장, 중국—만리장성, 미국—자유의 여신상, 한국—광화문, 프랑스—에펠탑, 베트남—메콩강)

□ **도입**

| 그림을 보세요. 회사원이에요? (네. 회사원이에요.) → 네. 회사원이에요. | 그림을 보세요. 뭐예요? (모자요.) → 네. 모자예요. |

□ **설명**

- 의미: 명사 뒤에 붙여서 사람이나 사물 등의 명사를 서술할 때 사용한다.

- 회사원이에요? (네.) 네. 회사원이에요. '회사원', '원'에 받침이 있어요. 그럼 '회사원이에요.' 이렇게 이야기해요.
- 모자예요? (네.) 네. 모자예요. '모자', '자'에 받침이 없어요. 그럼 '모자예요.' 이렇게 이야기해요.

- 형태

명사이에요 / 예요	
명사이에요 받침 ○	명사예요 받침 ×
가방 → 가방이에요 책상 → 책상이에요 학생 → 학생이에요	사과 → 사과예요 모자 → 모자예요 친구 → 친구예요

- 추가 예문
  선생님이에요.
  대학생이에요.
  가수예요.
  요리사예요.

□ 38쪽, 1번의 경우 짝 활동으로 질문하고 대답하는 말하기 활동으로만 진행한다. 유사한 활동인 더하기 활동 7쪽, 1번의 경우에는 질문하고 대답하는 말하기 활동 진행 후에 해당 문장을 교재에 써 볼 수 있도록 한다.

□ 38쪽, 2번의 경우 학생들의 핸드폰 속 사진을 이용하여 말하기를 진행하는 활동이다. 그러나 학생들이 가지고 있는 사진이 없을 경우에는 학생들이 알 수 있을 만한 유명인의 사진과 물건이 찍힌 사진을 선생님이 미리 준비하여 짝 활동을 진행한 후 대화 형식(질문하고—답하기)으로 발표해 본다.

□ 도입

| 그림을 보세요.
유진 씨 동생이에요. 유진 씨 동생은 대학생이에요?
(네. 대학생이에요.)
→ 네. 제 동생은 대학생이에요. | 그림을 보세요.
아버지예요. 아버지는 요리사예요?
(네. 요리사예요.)
→ 네. 아버지는 요리사예요. |

□ 설명

- 의미: 명사 뒤에 붙어서 그 명사가 문장의 주제임을 나타낸다.

• 여러분, 누구예요? (유진 씨 동생이에요.) 네. 유진 씨 동생이에요. 유진 씨 동생은 대학생이에요? (네. 대학생이에요.) 네. 유진 씨 동생은 대학생이에요. '동생', '생'에 받침이 있어요. '유진 씨 동생은', '유진 씨 동생은 대학생이에요.' 이렇게 이야기해요.

• 그림을 보세요. 유진 씨 아버지예요. 요리사예요? (네. 요리사예요.) 네. 아버지는 요리사예요. '아버지', '지'에 받침이 없어요. '아버지는', '아버지는 요리사예요.' 이렇게 이야기해요.

- 형태

명사은/는	
명사은 받침 ○	명사는 받침 ×
동생 → 동생은 가방 → 가방은 제 이름 → 제 이름은	저 → 저는 안나 → 안나는 친구 → 친구는

- 추가 예문

　제 이름은 주노예요.

　저는 학생이에요.

　안나는 제 친구예요.

□ 39쪽, 2번의 경우 짝을 지정하지 않고 학생들 스스로 반 친구 중 3명을 선택하여 인터뷰하고 이름과 직업을 메모한 후, 그 중 한 친구를 소개해 볼 수 있도록 한다. 발표 시 친구 소개에서 소외되는 학생이 없도록 주의한다.

□ 활동 1의 1번의 경우 교재에 나와 있는 듣기 대화를 따라 읽고 말하는 연습을 충분히 한다. 어느 정도 대화 연습이 이루어진 후에는 학생들을 안나와 주노의 역할로 나누어 대화해 보게 하고 두 사람을 지목하여 역할극 형태로 발표를 시킬 수도 있다.

□ 활동 1의 2번의 경우 주어진 정보로 대화 연습을 한 후에 빈칸에는 자신의 정보와 친구의 정보를 채워서 말하기 연습을 한다. 시간이 충분한 경우, 학생들이 교실을 돌아다니며 여러 명의 친구들과 서로를 소개하는 대화를 해 볼 수 있도록 한다. 자신의 정보를 이용하여 말하는 부분을 발표할 때는 책을 보지 않고 자연스럽게 대화하듯 발표할 수 있게 한다.

더하기 활동 | 9쪽, 2번

□ 소개하고 싶은 친구를 정해서 그림을 그리고 그 친구를 소개하는 글을 써 보는 활동이다. 자신과 친한 친구를 선택하거나 1단원을 공부하면서 인터뷰했던 우리 반 친구를 소개하는 글을 쓰게 해도 좋다. 처음 글을 써 보는 것이므로 띄어쓰기에 주의하고 문장 뒤 마침표도 잘 사용하도록 지도한다.

1A 02

전화번호가
뭐예요?

□ **도입**

그림을 보세요.	그림을 보세요.
→ 이름이 뭐예요?	이 사람, 이름이 뭐예요?
(마리예요.)	(재민 씨예요.)
	네. 재민 씨예요.
	→ 재민 씨 전화번호가
	뭐예요? (010-1213-
	7505예요.)

□ **설명**

- 의미: 명사 뒤에 붙어서 그 명사가 문장의 주어임을 나타낸다.

- 여자가 있어요. 누구예요? 알고 싶어요. 이름이 뭐예요? 질문해요. 여러분, 이 사람 이름이 뭐예요? (마리예요.)
- 이 사람, 이름이 뭐예요? (재민 씨예요.) 네, 재민 씨예요. 재민 씨 전화번호를 알고 싶어요. 전화번호가 뭐예요? 말해요. 여러분, 재민 씨 전화번호가 뭐예요? (010-1213-7505예요.)

- 형태

명사이 / 가	
명사이	명사가
받침 ○	받침 ×
이름 → 이름이	친구 → 친구가
동생 → 동생이	안나 씨 → 안나 씨가
식당 → 식당이	전화번호 → 전화번호가

- 추가 예문
  영화관이 어디예요?
  주노 씨가 누구예요?
  제가 요리사예요.

□ 46쪽, 1번 문제의 경우 질문의 형태를 모두 '제가 N이에요/예요.'로 대답할 수 있도록 한다. '저'와 '가'가 합쳐질 경우 '제가'가 된다는 것을 형태 제시 단계에서 추가 예문으로 제시해 주거나 본 활동을 하기 전에 미리 알려 주어야 한다.

□ 46쪽, 2번은 그림을 보고 '이/가'를 사용하여 특정 장소가 어디 있는지를 묻고 간단하게 대답하는 활동이다. 장소 관련 어휘가

□ 학생들이 한자어 수를 배우는 단원으로 제시된 숫자들을 반복해서 따라 읽고 익히도록 한다. 제시된 숫자 어휘 외에도 두 자리 숫자들을 추가적으로 칠판에 제시하며 숫자를 읽는 데 익숙해지도록 한다. (예 27, 48, 66, 83) 또한 '십육[심뉵]'의 발음에 유의하면서 말할 수 있도록 지도한다.

□ 45쪽, 2번과 3번 문제의 경우 한자어 수와 함께 단위 명사를 어휘처럼 익힐 수 있도록 한다. 또한 숫자를 질문할 때는 '몇'이라는 의문사를 쓴다는 것도 함께 알려 준다. 또한 '몇 월[며둴]', '몇 호[며토]'의 발음에 유의하면서 말할 수 있도록 지도한다.

더하기 활동 | 10쪽, 2번

□ 정보 차 활동(information gap)으로 진행하는 문제로 학생들을 두 명씩 짝을 지은 후, A 사람과 B 사람으로 지정한다. A 사람이 먼저 숫자 4개를 말하고 B 사람은 들은 숫자를 빈칸에 쓸 수 있도록 한다. 다음은 역할을 바꾸어서 B 사람이 숫자 4개를 말하고 A 사람이 들은 숫자를 쓸 수 있도록 한다. 활동을 시작하기 전에 교재에 주어진 ①번의 숫자를 가지고 선생님은 A 사람의 역할, 학생들 전체는 B 사람의 역할을 하여 학생들의 이해를 도울 수 있다.

처음 등장하므로 활동 전에 장소 관련 어휘들의 의미를 가르쳐
준 후 연습을 할 수 있도록 한다.

| 문법 2 | 이/가 아니에요 | 47쪽 |

□ **도입**

| (사진의 오른쪽 사람을 가리키며)누구예요? (주노 씨예요.)
 (사진의 왼쪽 사람을 가리키며)이 사람이 주노 씨 동생이에요?
 (아니요. 형이에요.)
 맞아요. 주노 씨 형이에요.
 → 동생이 아니에요. 형이에요. | (칠판에 교실 문을 그리고 204호라고 씀.)
 우리 교실이에요.
 교실이 203호예요?
 (아니요. 204호예요.)
 맞아요. 204호예요.
 → 203호가 아니에요. 204호예요. |

□ **설명**

- 의미: 명사 뒤에 붙어서 그 명사를 부정함을 나타낸다.

- 주노 씨가 있어요. 그리고 주노 씨 형이 있어요. 제가 질문해요. 이 사람, 주노 씨 동생이에요? (아니요.) 그럼 누구예요? (형이에요.) 맞아요. 주노 씨 동생이 아니에요. 형이에요.
- 우리 교실이에요. 204호예요. 여러분, 교실이 203호예요? (아니요. 204호예요.) 맞아요. 203호가 아니에요. 204호예요.
- 이렇게 (손으로 ×자 표시를 하며) 동생이 아니에요. 204호가 아니에요. 말해요. 이럴 때 '이/가 아니에요'를 사용해요.

- 형태

명사이/가 아니에요	
명사이 아니에요 받침 ○	명사가 아니에요 받침 ×
학생 → 학생이 아니에요 책상 → 책상이 아니에요 8층 → 8층이 아니에요	친구 → 친구가 아니에요 의자 → 의자가 아니에요 커피 → 커피가 아니에요

- 추가 예문

선생님이 아니에요. 학생이에요.
주노 씨가 아니에요. 재민 씨예요.
커피가 아니에요. 물이에요.

| 발음 | 연음 | 48쪽 |

□ 받침은 뒤 음절이 모음으로 시작할 때, 뒤 음절의 첫소리로 발음된다.
맞아요[마자요]

□ **연습용 추가 예문**

저는 선생님이에요[선생니미에요].
물이[무리] 아니에요.
영화관이[영화과니] 어디예요?

| 활동 | 전화번호 | 48~49쪽 |

□ 활동 1의 2번의 경우 전화번호를 제대로 말했을 경우와 틀리게 말했을 경우를 나누어 제시하고 있다. 주어진 표의 정보를 이용하여 친구와 전화번호를 묻고 답한 후 마지막에는 자신의 전화번호에 대해 묻고 대답할 수 있도록 한다.

□ 활동 2의 1번의 경우 해당 장소의 전화번호를 사진 속에 적혀 있는 숫자로 대답해 보는 활동이다.

더하기 활동 | 12쪽, 2번

□ 그림에 나와 있는 장소의 전화번호를 묻고 답하는 활동으로 학생들이 있는 지역의 실제 식당, 은행, 병원, 그리고 내가 알고 싶은 장소의 전화번호를 묻고 학생들은 인터넷으로 해당 장소의 전화번호를 검색하여 대답해 볼 수 있도록 한다.

더하기 활동 | 13쪽, 1번

□ 사진 아래와 나와 있는 정보를 기반으로 쓴 텍스트의 내용 중 무엇이 틀렸는지 찾아보고 해당 내용을 2번 쓰기 부분에 바르게 써 보는 활동이다. 1번의 활동은 글을 읽고 말하기 위주로 진행하고 이를 바탕으로 쓰기를 해 보게 한다.

1A 03

제 가방은
책상 옆에 있어요

| 어휘와 표현 | 물건 | 53쪽 |

□ 교재에 있는 기본 어휘를 학습한 후 교실에 있는 물건의 이름도 확인한다. 교실 상황이나 학생들의 수준에 따라 교재에는 제시되지 않았으나 추가로 학습할 필요가 있는 어휘들을 제시할 수 있다. 학생들이 '이/가 있어요'의 형태로 말하게 한다.

□ 물건의 위치를 설명할 때 학생들의 이해를 돕기 위하여 교실의 실제 물건을 활용한다. 물건뿐만 아니라 학생들의 이름도 활용하여 위치 표현을 익히게 한다. 학생들이 '에 있어요'의 형태로 말하게 한다.

□ 53쪽, 3번 문제의 경우 문제 풀이 이후 교실 상황을 이용하여 추가로 묻고 답하는 시간을 갖도록 한다.

더하기 활동 | 14쪽, 2번

□ 활동 전에 교재의 그림 자료에 어떤 물건이 있는지 묻고 답함으로써 어휘를 복습한다.

□ 문제에서 제시한 물건 외에 그림 자료에 있는 다른 물건(노트, 휴지, 볼펜)으로 추가 활동을 진행할 수 있다.

| 문법 1 | 이, 그, 저 | 54쪽 |

□ **도입**

(그림을 가리키며)
누구예요? (동생이에요.)
제 동생이에요.
→ 이 사람은 누구예요?
   제 동생이에요.

(그림을 가리키며)
뭐예요? (핸드폰이에요.)
누구 핸드폰이에요?
(주노 씨요.)
네. 주노 씨 핸드폰이에요.
→ 저 핸드폰은 주노 씨
   핸드폰이에요.

□ **설명**

- 의미: 명사 앞에서 사람이나 사물을 가리킬 때 사용한다. 말하는 사람에게 가까이 있는 것은 '이', 멀리 있는 것은 '저', 듣는 사람에게 가까이 있는 것은 '그'를 사용한다.

- (그림 1을 가리키며) 누구예요? (동생이에요). 네, 제 동생이에요. 저는 여기에 있어요. 여러분은 저기에 있어요. 제가 '이 사람을' 이야기해요. 이 사람은 제 동생이에요.

- (학생들 중 1명을 지목하며) ○○ 씨, (두 사람과 멀리 떨어져 있는 다른 학생의 핸드폰을 가리키며) 누구 핸드폰이에요? (□□ 씨 핸드폰이에요.) 맞아요. 여러분, 여러분은 여기 있어요. 저는 여기에 있어요. 핸드폰은 어디에 있어요? 저기에 있어요. 그래서 말해요. (손으로 가리키며) 저 핸드폰은 □□ 씨 핸드폰이에요.

- △△ 씨, (△△의 핸드폰을 가리키며) 누구 핸드폰이에요? (제 핸드폰이에요.) △△ 씨는 저기 있어요. 핸드폰은 저기 있어요. 저는 여기에 있어요. 이야기해요. 그 핸드폰은 △△ 씨 핸드폰이에요.

- 형태

이, 그, 저 **명사**		
이 사람 이 핸드폰	그 사람 그 핸드폰	저 사람 저 핸드폰

- 추가 예문
  이 사람은 수지 씨예요.
  그 책은 안나 씨 책이에요.
  저 가방은 친구 가방이에요.

□ '이, 그, 저'가 사물을 지시할 때는 '이, 그, 저' 대신에 '이것, 그것, 저것'을 사용할 수 있다는 것을 알려 준다. 또한 구어에서 '이것, 그것, 저것' 뒤에 조사 '은/는'이나 '이/가', '을/를'이 붙으면 줄여서 사용할 수 있음을 설명한다.

이것은=이건	이것이=이게	이것을=이걸
저것은=저건	저것이=저게	저것을=저걸
그것은=그건	그것이=그게	그것을=그걸

□ 교재 54쪽 1번에 제시된 삽화에서, 1), 2)는 말하는 사람과 멀리 있고, 3), 4)는 가까이 있음을 학생들이 미리 확인하게 한다.

□ 교재 54쪽 2번에 제시된 삽화에서, 가방과 책은 말하는 사람과 멀리 있고, 시계, 핸드폰, 필통은 가까이 있음을 학생들이 미리 확인하게 한다.

더하기 활동 | 15쪽, 1번

□ 활동 전에 교재의 그림 자료에서 물건이나 다른 사람을 가리키는 사람이 대화 참여자 '가'임을 학생들이 미리 확인하게 한다.

문법 2	에 있다, 없다	55쪽

□ **도입**

뭐가 있어요?
(책이 있어요.)
책이 어디에 있어요?
(책상 위요.)
→ 책이 책상 위에 있어요.

수지 씨가 어디에 있어요?
(학교요.)
→ 수지 씨가 학교에 있어요.
수지 씨가 집에 있어요?
(아니요.)
→ 수지 씨가 집에 없어요.

□ **설명**

- 의미: 명사 뒤에 붙어서 사람이나 사물의 위치를 나타낸다.

• 책이 있어요. 책이 어디에 있어요? (책상 위에 있어요.) 맞아요. 책이 책상 위에 있어요.

• 수지 씨가 있어요. 수지 씨가 어디에 있어요? (학교에 있어요.) 맞아요. 학교에 있어요. 수지 씨가 집에 있어요? (아니요.) 네. 수지 씨가 집에 없어요.

• 사람, 물건이 어디에 있어요? 어디에 없어요? 이야기해요. '에 있다, 없다'를 사용해요.

- 형태

명사에 있다, 없다	
학교	학교에 있다, 없다
책상 위	책상 위에 있다, 없다
가방 안	가방 안에 있다, 없다

- 추가 예문

친구가 집에 있어요.
시계가 교실에 없어요.
재민 씨가 안나 씨 옆에 있어요.

- 참고: '에 있다, 없다'의 연습이 충분히 이루어진 후에 주어와 부사어 어순이 바뀌어도 괜찮다는 것을 설명한다.

예 수지 씨가 학교에 있어요. = 학교에 수지 씨가 있어요.

□ 55쪽 1번에 〈보기〉에서 사람이나 물건이 교실에 있는지 없는지에 따라 대답의 형태가 다르다는 것을 학생들에게 설명한다.

더하기 활동 | 15쪽, 2번

□ 교재 15쪽 2번의 예문은 주어와 부사어 어순이 기본 교재와 다르므로 이러한 점을 학생들이 주지할 수 있도록 한다.

활동	물건의 위치	56~57쪽

□ 활동 1, 2의 주제가 물건의 위치이므로 학습 상황에 따라 교재에 제시된 어휘 외에 교실과 방에서 자주 볼 수 있는 물건 어휘를 미리 제시해 주면 학생들이 다양한 어휘로 활동을 수행할 수 있다. 이때 학생들의 이해를 돕기 위해 사진이나 그림 등의 보조 자료를 적극적으로 활용할 수 있다.

□ 활동 1의 1번의 경우 '이 가방' 대신에 지시 대명사 '이거'를 사용할 수 있음을 설명하고, '그거'와 '저거'도 제시해 준다. 활동 1의 2번의 경우 정해진 연습 외에 학생들이 교실에 있는 물건의 위치를 서로 자유롭게 묻고 답하게 한다. 교사는 짝 활동이 잘 이루어지는지 확인하면서 학생들이 수업 시간에 다루지 않는 어휘에 대해 질문할 경우 알려 준다.

□ 활동 2의 경우 방에 있는 물건과 그 위치에 대해 써 보는 활동이다. 활동 2의 1번의 경우 글을 읽기 전에 교사와 학생들이 그림 자료를 같이 보면서 어떤 물건이 있고, 그 물건이 어디에 있는지 묻고 대답한다. 활동 2의 2번의 경우 먼저 자신의 방 모습을 그리고 글을 쓰게 한다. 만약 학생들의 동의가 있다면 수업 전에 자신의 방의 사진을 미리 준비하게 할 수도 있다. 발표 시 다른 학생들에게 보여 주면 발표자의 발표에 대한 관심을 조금 더 높일 수 있을 것이다.

1A 04

한국어를
공부해요

어휘와 표현	기본 동사	61쪽

□ 학생들이 처음 한국어 동사를 배우는 단원이다. 학생들이 한국어를 배울 때 가장 먼저 접하게 되고 가장 많이 사용하는 기본 동사 10개를 기본형이 아닌 비격식체 어말 어미와 결합된 활용형으로 제시한다(먹어요, 읽어요, 봐요, 마셔요, 들어요, 만나요, 자요, 일해요, 요리해요, 공부해요). 학생들이 한국어를 사용할 때 주로 사용하게 되는 '-아요/어요' 어말 어미와 결합된 활용형을 제시하여 말의 덩어리로 발화할 수 있도록 하는 데에 학습의 주안점을 둔다. '듣다'의 경우 불규칙 동사이기는 하지만 본 단계에서는 이에 대해 설명하지 않는다.

□ 기본 동사를 설명하면서 학습된 명사나 학생들이 알고 있는 명사 중 기본 동사와 함께 사용할 수 있는 명사들도 함께 이야기해 본다. (예 물/커피/주스—마시다, 빵/과자/피자/초콜릿—먹다)

□ 61쪽, 2번 문제의 경우 해당 문제를 풀어 본 후 제시된 명사 이외에 사용할 수 있는 다른 명사도 학생들과 함께 이야기해 본다. 불완전한 문장이기는 하지만 '영화 봐요', '책 읽어요' 등의 문장 생성 연습을 해 보면서 목적어가 먼저 오고 동사가 마지막에 오는 한국어의 문장 구조를 자연스럽게 노출시킨다.

더하기 활동 | 18쪽, 2번

□ 본 활동의 경우 게임처럼 다양한 방법으로 진행해 볼 수 있다.
  1. (기본형) 10개의 기본 동사 카드를 반 학생 수의 1/2, 혹은 1/3 세트 준비한다. 손바닥 크기의 작은 사이즈가 좋다. 학생들을 2명이나 3명으로 짝을 지어 주고 한 명이 카드를 넘기며 해당 동사를 동작으로 설명하면 다른 학생이 답을 맞혀 보도록 한다.
  2. (게임형) 스케치북 한 장 한 장에 동사를 써서 준비한다. 반 학생을 두 팀으로 나눈 후 한 팀씩 줄을 서도록 한다. 가장 앞의 사람에게 카드를 보여 주면 그 사람이 동작을 하고 바로 뒤의 사람이 맞히도록 한다. 이렇게 릴레이로 동사를 맞히고 먼저 끝나는 팀이 이기게 된다.

문법 1	-아요/어요	62쪽

※ 본 단원의 문법은 모두 사용 빈도와 중요도가 높은 항목이므로 다른 단원에 비해 교수·학습 시간이 더 필요할 수 있다.

□ **도입**

이 사람(왼쪽)이 누구예요? (주노예요.) 이 사람(오른쪽)은 주노 씨 친구예요. 주노 씨는 오늘 무엇을 해요? (친구 만나요.) 네. 주노 씨가 친구 만나요. → 오늘 친구 만나요.	여러분, 이 음식 뭐예요? 알아요? (불고기예요.) 맞아요. 불고기 먹어요. 어때요? 좋아요? (네. 맛있어요.) 네. 불고기 맛있어요. → 불고기 맛있어요? 네. 정말 맛있어요.

□ **설명**

- 의미: 동사나 형용사 뒤에 붙어서 동작이나 상태를 나타낸다.

• 여기에 주노 씨가 있어요. 주노 씨 친구가 있어요. 두 사람이 무엇을 해요? (만나요.) 네. 주노 씨는 친구 만나요. 오늘 친구 만나요. 이 동사는 '만나다'예요. '만나요' 이야기해요.

• 여러분 불고기 먹어요? (네. 먹어요.) 어때요? (맛있어요.) 네. 저는 불고기 먹어요. 아주 좋아요. 아주 맛있어요. '맛있다'는 형용사예요. '맛있어요' 이야기해요.

- 형태

동사·형용사 아요 / 어요	
동사 · 형용사 아요 ㅏ / ㅗ ○	동사 · 형용사 어요 ㅏ / ㅗ ✕
가다 → 가요 보다 → 봐요 만나다 → 만나요	먹다 → 먹어요 읽다 → 읽어요 맛있다 → 맛있어요 *듣다 → 들어요
동사 · 형용사 해요 '~하다'	
일하다 → 일해요 운동하다 → 운동해요 요리하다 → 요리해요	

- 추가 예문
  동생은 자요.
  저는 빵 먹어요.
  책 읽어요.
  주노 씨는 매일 요리해요.

- 참고: 해당 문법은 동사와 형용사 모두에 붙어 동작이나 상태를 나타내지만 해당 과에서는 주로 동사와 함께 연습한다. 혹시 학생들이 알고 있는 간단한 형용사가 있다면 의미를 알려주고 연습해 볼 수 있다.

문법 2	을/를	63쪽

□ **도입**

여러분, 여기 안나 씨가 있어요. 안나 씨가 지금 무엇을 해요? (책 읽어요.) 네, 안나 씨가 오늘 무엇을 해요? 질문해요. 책을 읽어요. 대답해요. → 책을 읽어요.	이 영화 알아요? (아니요.) 이 영화는 한국 영화예요. 여러분, 한국 영화 좋아해요? (네.) 저도 한국 영화를 좋아해요. → 저는 한국 영화를 좋아해요.

□ **설명**

- 의미: 명사 뒤에 붙여서 명사를 문장의 목적어로 만들 때 사용한다.

- 여러분 오늘 무엇을 해요? (친구 만나요. 밥 먹어요. 책 읽어요. 공부해요.) 맞아요. 그런데 안나 씨는 책 읽어요. 여기 책 뒤에 '을' 말해요. 그래서 '책을 읽어요.' 이렇게 이야기해요.
- 여러분 한국 영화 봐요? (네. 봐요.) 저도 한국 영화 많이 봐요. 한국 영화 좋아해요. 그런데 영화는 받침이 있어요? 없어요? (없어요.) 그럼 영화 뒤에 '를' 말해요. '한국 영화를 좋아해요.'

- 형태

명사을/를	
명사을 받침 ○	명사를 받침 ×
책 → 책을 꽃 → 꽃을 게임 → 게임을	영화 → 영화를 친구 → 친구를 불고기 → 불고기를

- 추가 예문
  물을 마셔요.
  텔레비전을 봐요.
  노래를 들어요.

□ 63쪽, 1번과 더하기 활동 19쪽, 2번은 같은 유형의 문제이므로 시간이 가능하다면 함께 진행하는 것이 좋다. 먼저 교재에 제시된 6가지 단어를 이용해 묻고 답하기를 해 본다. 그 후 더하기 활동 문제 풀이 시간을 1~2분 정도 학생들에게 준 뒤 문제 풀이가 끝나면 다시 묻고 대답하는 활동을 해 본다.

□ 63쪽, 2번의 경우 문법 두 개를 배운 후 풀어보는 마지막 문제이므로 활동으로 넘어가기 전 기본 동사와 목적격 조사를 사용해 다양한 질문을 던지고 학생들이 대답해 볼 수 있도록 한다.

발음	억양	64쪽

□ 의문문과 의문문이 아닌 경우 문장의 끝부분을 확실하게 구분해 말할 수 있도록 지도한다. 질문을 할 때에는 끝을 올려서 말하고 질문이 아닐 때는 내려서 말한다.
  공부해요? [↗]
  공부해요. [↘]

□ **연습용 추가 예문**
  책을 읽어요? 네. 책을 읽어요.
  불고기를 좋아해요? 네. 불고기를 좋아해요.

활동	오늘 할 일	64~65쪽

□ 〈더 알아봐요〉를 통해 실제 대화에서는 '무엇'을 '뭐'로, '무엇을'을 '뭘' 또는 '뭐'로 더 많이 사용한다는 것을 알려 준다.

□ 활동 1의 2번의 경우 먼저 2명이 짝이 되어 〈보기〉, 1), 2), 3)번 문항을 함께 해 보도록 한다. 여기까지의 연습이 끝나면 학생들이 자유롭게 다른 짝을 찾아가 오늘 뭐 할지 물어보고 메모해 보도록 한다. 가능하다면 오늘 할 일에 대한 추가적인 질문도 자연스럽게 할 수 있도록 유도한다.

□ 활동 2의 경우 읽기와 쓰기의 형식이 다르다. 활동 2의 2번의 경우 학생들이 당황할 수 있으므로 쓰기 전 글 쓰기의 예시를 제시하는 것이 좋다.
  ⓔ 안나 씨의 오늘
    저는 오늘 집에 있어요. 한국 영화를 봐요. 한국 영화는 재미있어요. 저는 한국 영화를 좋아해요.
  ⓔ 유진 씨의 오늘
    저는 오늘 공원에 가요. 친구를 만나요. 우리는 운동을 해요. 우리는 운동을 좋아해요. 그리고 같이 밥을 먹어요. 한국 음식을 먹어요. 한국 음식이 맛있어요.

1A 05

빵하고 우유를 사요

| 어휘와 표현 | 장소와 식품 | 69쪽 |

☐ 4과에서 기본 동사를 배우고 5과에서 장소를 배우게 된다. 장소를 설명할 때 그 공간에서 이루어지는 행위를 기본 동사를 이용해 설명해 학습자들이 기본 동사와 한국어의 문장 구조를 다시한번 복습하며 새 어휘를 익힐 수 있도록 한다. (예 뭐 해요? 공부해요. 어디예요? 학교예요.)

☐ 69쪽, 3번 문제의 경우 문제 풀이 이후 주어진 문제를 변형해 학생들과 묻고 답하는 시간을 갖도록 한다. (예 여기는 집이에요. 뭘 먹어요? / 여기는 카페예요. 뭘 해요?)

더하기 활동 | 22쪽, 2번

☐ 제시된 식품 관련 단어 외에 입문편과 앞 과에서 제시된 식품(음식) 관련 단어 등을 준비해 학생들과 연습해 볼 수 있다(불고기, 포도, 사과, 초콜릿, 케이크, 김치, 주스 등). 문제에는 식품과 동사만 제시되어 있지만 앞서 배운 장소 어휘와 함께 연습해 볼 수 있다. (예 여기는 카페예요. 뭘 먹어요?)

| 문법 1 | 에 가다 | 70쪽 |

☐ **도입**

여기가 어디예요? (영화관이에요.) 마리 씨가 지금 가요. 어디에 가요? (영화관 가요.) 네. 마리 씨가 영화관에 가요.
→ 마리 씨, 어디에 가요? 영화관에 가요.

여기가 재민 씨 집이에요? (아니요.) 여기가 어디예요? (백화점이에요.) 재민 씨가 어디에 가요? (백화점에 가요.) 네. 재민 씨가 백화점에 가요.
→ 재민 씨, 집에 가요? 아니요. 백화점에 가요.

☐ **설명**

- 의미: 명사 뒤에 붙어서 진행 방향이나 목적지로 이동함을 나타낸다.

• 마리 씨가 여기에 있어요. 지금 마리 씨가 가요. 어디 가요? (영화관 가요.) 네. 영화관 가요. 영화관 뒤에 '에' 말해요. 그래서 '영화관에 가요.' 말해요.
• 여기는 어디예요? (백화점이에요.) 재민 씨 집이에요? (아니에요.) 맞아요. 재민 씨가 지금 가요. 어디에 가요? (백화점에 가요.) 네. 백화점은 장소예요. 거기 가요. '에' 말해요. 그래서 '백화점에 가요.' 말해요.

- 형태

명사에 가다
집에 가다
학교에 가다
백화점에 가다
영화관에 가다

- 추가 예문
  마리 씨는 회사에 가요.
  저는 매일 공원에 가요.
  재민 씨는 지금 마트에 가요.

☐ 70쪽, 2번과 더하기 활동 23쪽, 1번은 같은 유형의 문제이므로 기본 교재 문제를 푼 후 바로 이어서 활동하는 것이 좋다. 더하기 활동 역시 기본 교재와 마찬가지로 학생들에게 '뭐 해요?'라는 질문을 추가적으로 할 수 있다.

☐ **도입**

| 여러분, 여기는 백화점이에요. 뭐가 있어요? (가방이 있어요. 구두가 있어요.) 네. 제가 백화점에 가요. 가방을 사요. 구두를 사요. 가방하고 구두를 사요.
→ 가방하고 구두를 사요. | 여기는 어디예요? (교실이에요.) 네. 교실에 누가 있어요? (선생님이 있어요. 안나 씨가 있어요.) 맞아요. 교실에 선생님, 안나 씨가 있어요. 교실에 선생님하고 안나 씨가 있어요.
→ 선생님하고 안나 씨가 있어요. |

☐ **설명**

- 의미: 명사 뒤에 붙어서 그 명사와 뒤에 오는 명사를 연결할 때 사용한다. '하고' 대신에 '와/과'를 사용할 수 있다.

• 여러분은 백화점에 가요? (네. 가요.) 백화점에 뭐가 있어요? (가방이 있어요. 구두가 있어요.) 뭘 사요? (옷을 사요. 모자를 사요.) 네. 제가 백화점에 가요. 가방을 사요. 구두를 사요. 가방, 구두를 사요. 가방하고 구두를 사요.

• 여러분, 여기가 어디예요? (세종학당이에요. 교실이에요.) 네. 교실이에요. 여기에 누가 있어요? (선생님이 있어요. ○○ 씨가 있어요.) 맞아요. 선생님이 있어요. ○○ 씨가 있어요. 선생님하고 ○○ 씨가 있어요.

• 여러분, 우리가 명사를 두 개 말해요. 가방, 구두, 이것은 '가방하고 구두' 이렇게 말해요. 옷, 모자는 '옷하고 모자', 안나, 주노는 '안나하고 주노' 이렇게 말해요. 명사 두 개를 말해요. '하고'를 이야기해요.

- 형태

명사하고
옷하고 신발
빵하고 커피
책상하고 의자
안나 씨하고 주노 씨

- 추가 예문

  빵하고 커피를 먹어요.
  교실에 책상하고 의자가 있어요.
  내일 안나 씨하고 주노 씨를 만나요.

- 참고 1: 명사에 붙여 여러 개의 사물이나 사람을 연결할 때 쓸 수 있는 조사로는 '하고', '와/과', '(이)랑'이 있다. '하고'와 '와/과'는 구어와 문어에서 모두 사용할 수 있지만 '(이)랑'은 주로 구어 상황에서 사용한다.

- 참고 2: 어떤 행위나 동작을 함께 하는 대상임을 나타내는 의미의 '하고'는 본 과에서 학습하지 않는다.

☐ 〈더 알아봐요〉를 통해 사람의 경우 '누구'라는 의문사로 질문한다는 것을 알려 준다. '누구'와 주격 조사 '가'가 결합할 경우 '누가'가 된다.

☐ 수업 시간에 여유가 있다면 '하고'를 이용한 간단한 릴레이 게임을 해 볼 수 있다.

> 〈게임 방법〉
> 선생님: 여기는 교실이에요. 교실에 뭐가 있어요?
> 학생 1: 책상이 있어요. ⇨ 학생 2: 책상하고 의자가 있어요. ⇨ 학생 3: 책상하고 의자하고 컴퓨터가 있어요. ⇨ 학생 4: 책상하고 의자하고 컴퓨터하고 시계가 있어요.
> [다른 질문: 마트(백화점)예요. 뭘 사요?/ 식당이에요. 뭘 먹어요?]

| 활동 | 쇼핑 | 72~73쪽 |

☐ 활동 1의 2번의 경우 제시되어 있는 식당, 백화점, 학교 이외에 마트(사다), 카페(먹다, 마시다), 집(요리하다) 등의 장소가 가능할 수 있다. 이 외에도 각 도시의 주요 장소에서 '만나다' 동사를 이용한 문장 생성이 가능하다(⑩ 명동에서 주노 씨하고 마리 씨를 만나요.). 학생들 스스로 적절한 장소와 명사를 생각해 내기 어려울 수 있으므로 몇 가지 장소와 상황을 준비하여 학생들이 곤란을 겪을 경우 교사가 제시해 준다.

☐ 활동 2의 경우 텍스트와 달리 자신의 이야기를 쓸 수 있도록 한다. 도시에 따라 주요 쇼핑 장소가 백화점이 아닐 수 있으므로 각 도시의 상황에 맞게 장소를 변경할 수 있다.

더하기 활동 | 25쪽, 2번

☐ 쓰기의 경우 주제가 '오늘 어디에 가요?'이다. 본 과의 주요 어휘가 장소와 식품이므로 텍스트의 내용에 방문 장소와 그 곳에서 하는 일, 그리고 쇼핑 리스트와 식사에 관한 내용이 포함되는 것이 좋다. 사전에 학생들에게 이에 대해 자세하게 설명해야 한다.

사과 다섯 개 주세요

| 어휘와 표현 | 고유어 수 | 77쪽 |

□ 교재에 제시된 그림과 1~20까지 고유어 수를 연결하여 설명한다.

□ 고유어 수 단독으로 하나~열까지를 연습하고, 그보다 더 큰 수는 십의 자리 수와 일의 자리 수를 조합하여 말할 수 있음을 알려 준다.

□ 단위 명사가 붙을 경우 고유어 수의 형태가 변화함을 알려 준다. '하나, 둘, 셋, 넷'의 형태 변화에 주의하여 연습한다.

□ '하나~열'까지 연습한 후 '열하나~스물'을 연습하고, 그 다음에는 십의 단위를 읽는 방법을 연습한다. 스물의 경우 단위 명사가 붙을 때 '스무'로 형태가 변화함을 제시한다.

- 참고: 0과 100 이상은 한자어 수사로 읽는다. 고유어 수사로 읽는 경우에도 20을 넘어가면 주로 아라비아 숫자로 쓰고 한자어 수사로 읽는다. 고유어 수사의 경우 시간 표현에서 시를 표현할 때나 수량 명사와 결합하여 사람이나 사물의 수량을 셀 때(명, 개, 자루 등) 주로 사용한다.

□ 77쪽, 3번의 경우 해당 연습을 한 후, 제시된 명사와 수사 이외에 학생들이 가지고 있는 물건들을 활용하여 학생들과 함께 숫자를 더 연습해 본다.

더하기 활동 | 26쪽, 2번

□ 교재의 삽화를 보며 편의점에 있는 물건의 개수를 묻고 대답할 수 있도록 한다. 교재에 있는 활동 후에는 학생들에게 편의점에 가서 뭘 사고 싶은지 질문하고 대답하는 연습을 할 수 있다. (예 편의점에 가요. 뭐 사요? 과자를 두 개 사요.)

| 문법 1 | 단위 명사 | 78쪽 |

□ **도입**

가게에 가요. 뭘 사요? (빵을 사요.) 빵을 몇 개 사요? (빵을 하나 사요.) 네. 빵을 한 개 사요. → 뭘 사요? 빵을 한 개 사요.	사람이 있어요. 선생님이 에요? (아니요. 학생이에요.) 학생이 한 명이에요? (아니요. 두 명이에요) 네. 학생이 두 명 있어요. → 학생이 몇 명 있어요? 두 명 있어요.

□ **설명**

- 의미: 명사 뒤에 붙어서 세는 단위를 나타낸다.

개: 낱으로 된 물건의 수효를 세는 말.

명: 사람을 세는 단위.

마리: 짐승이나 물고기, 벌레 따위를 세는 단위.

잔: 음료나 술을 잔이나 컵에 담아 그 분량을 세는 단위.

병: 액체 따위를 병에 담아 그 분량을 세는 단위.

권: 책을 세는 단위.

장: 종이 같은 넓적한 조각으로 생긴 물건을 세는 데 쓰는 말.

살: 나이를 세는 단위.

- 빵이 있어요. 빵이 하나 있어요. 빵이 몇 개 있어요? (빵이 한 개 있어요.) 맞아요. 빵이 한 개 있어요. 교실에 책상이 있어요. 의자가 있어요. 책상, 의자, 연필, 시계가 있어요. 물건이 있어요. 물건 뒤에 '개'를 말해요. '빵이 한 개 있어요.', '연필이 두 개 있어요.' 말해요.

- 사람이 있어요. 사람이 둘 있어요. 사람이 몇 명 있어요? (사람이 두 명 있어요.) 사람은 '한 명, 두 명, 세 명'이에요. '사람' 뒤에 '명'을 말해요. '학생이 두 명 있어요.', '친구가 세 명 있어요.' 말해요.

- 고양이가 있어요. 고양이가 하나, 둘, 셋 있어요. 고양이는 '한 마리, 두 마리, 세 마리'예요. 고양이, 강아지 뒤에 '마리'를 말해요. '강아지가 세 마리 있어요.', '강아지가 다섯 마리 있어요.' 말해요.

- 커피가 있어요. 커피는 '한 잔, 두 잔, 세 잔'이에요. 커피, 주스 뒤에 '잔'을 말해요. '커피 한 잔 마셔요. 주스 두 잔 마셔요.' 말해요.

- 콜라가 있어요. 콜라는 '한 병, 두 병, 세 병'이에요. 콜라, 물 뒤에 '병'을 말해요. (커피의 컵과 콜라의 병을 가리키며) 물이 컵에 있어요. '한 잔, 두 잔, 세 잔'이에요. 물이 병에 있어요. '한 병, 두 병, 세 병'이에요.

- 책이 있어요. 책은 '한 권, 두 권, 세 권'이에요. 책, 공책 뒤에 '권'을 말해요. '가방에 책이 두 권 있어요. 책상 위에 공책이 세 권 있어요.' 말해요.
- 카드가 있어요. 카드는 '한 장, 두 장, 세 장'이에요. 카드, 기차표, 종이 뒤에 '장' 이야기해요. '카드가 한 장 있어요. 기차표가 두 장 있어요.' 말해요.
- 케이크예요. 이거(초)가 여덟 개 있어요. 여덟 살이에요. 세 개 있어요. 세 살이에요. 여덟 살, 세 살 '나이'예요. ('나이'를 제시한다. 학생들이 자신의 나이를 한국어로 어떻게 말하는지 궁금하여 질문한 경우에는 대답해 주되, 수업에서 나이를 묻고 대답하는 활동은 하지 않는다.)

- 형태

수사 단위 명사	
빵 → 빵 한 개	콜라 → 콜라 다섯 병
학생 → 학생 두 명	책 → 책 여섯 권
고양이 → 고양이 세 마리	카드 → 카드 일곱 장
커피 → 커피 네 잔	나이 → 여덟 살

□ 78쪽, 2의 4)번은 교실에 있는 물건(시계, 컴퓨터, 칠판 등)을 사용해서 자유롭게 말해 볼 수 있도록 한다. 이때 다양한 단위 명사를 사용할 수 있도록 한다. 대화에 활용할 물건이 부족한 경우 학생들의 핸드폰에 있는 사진을 활용해서 이야기하게 할 수 있다.

문법 2	-(으)세요	79쪽

□ 도입

여기는 식당이에요.
안나 씨와 유진 씨가 어디에 가요? (식당에 가요.)
유진 씨가 말해요. 안나 씨, 여기 앉아요.
→ 안나 씨, 여기 앉으세요.

유진 씨가 가게에 가요.
유진 씨가 뭐 사요?
(라면이요.)
라면을 몇 개 사요?
(세 개요.)
네. 라면을 세 개 사요. 주인에게 말해요.
→ 라면 세 개 주세요.

□ 설명
- 의미: 동사 뒤에 붙여서 어떤 사실을 명령하거나 요청할 때 사용하는 종결 어미이다.

- 여러분, 안나 씨와 유진 씨가 식당에 가요. 유진 씨가 말해요. '의자가 있어요.', '안나 씨, 의자에 앉아요.', '안나 씨, 여기 앉으세요.' 말해요.
- 유진 씨가 가게에 가요. 라면을 사요. 라면을 세 개 사요. 주인에게 말해요. '라면 세 개 주세요.'
- 유진 씨가 '안나 씨, 여기 앉으세요.' 말해요. 안나 씨가 의자에 앉아요. 유진 씨가 '라면 세 개 주세요.' 말해요. 주인이 라면을 줘요.
- 여러분 '앉다' 받침 있어요? 없어요? (있어요.) 네. 받침 있어요. '앉-' 뒤에 '-으세요'를 말해요. '앉으세요.' 말해요. 여러분 '주다' 받침 있어요? 없어요? (없어요.) 맞아요. 없어요. 그럼 '주-' 뒤에 '-세요' 말해요. '주세요.' 말해요.

- 형태

동사 (으)세요	
동사으세요 받침 ○	동사세요 받침 ×, 받침 ㄹ
앉다 → 앉으세요 읽다 → 읽으세요 *듣다 → 들으세요	주다 → 주세요 쓰다 → 쓰세요 *놀다 → 노세요

- 추가 예문
주노 씨, 책을 읽으세요.
수지 씨, 일어나세요.
이름을 쓰세요.

더하기 활동 | 27쪽, 2번
□ 게임판 안에 제시된 설명을 활용해 게임 규칙을 먼저 설명한다. 학생들은 두 명이 한 조를 이루어도 되고, 서너 명이 한 조를 이루어도 된다.

발음	평파열음화	80쪽

□ 한국어의 받침을 발음할 때 다양한 자음이지만 같은 소리로 발음할 수 있도록 지도한다. 그러나 뒤에 모음이 오는 경우 본 발음이 살아나는 경우가 있으므로 주의하도록 지도한다.

□ 연습용 추가 예문
부엌[부억] → 안나 씨가 부엌에[부어케] 있어요.
옷[옫] → 재민 씨가 옷을[오슬] 사요.

☐ 활동 1, 2는 쇼핑을 주제로 물건의 개수와 가격에 대하여 이야기하는 것이 목표이다. 활동을 본격적으로 시작하기 전에 화폐와 가격을 읽는 방법에 대해 연습이 필요할 수 있다.

☐ 활동 1의 2번은 먼저 2명이 짝이 되어 1)번에서 3)번까지 함께 해 보도록 한다. 4)번은 빈칸에 자신이 정한 물건의 이름, 개수, 가격을 적어 넣고 그것을 활용하여 이야기하도록 한다. 여기까지의 연습이 끝나면 학생들이 자유롭게 다른 짝을 찾아가 다른 물건과 가격에 대해 말하는 연습을 할 수 있도록 한다.

☐ 활동 2의 2번의 경우 주어진 텍스트를 참고하여 자신의 이야기를 쓸 수 있도록 한다. 지역에 따라 편의점이 보편적이지 않는 경우, 몇 가지 장소와 상황을 준비하여 제시해 줄 수 있도록 한다.

☐ 활동 2를 진행한 후에 추가적인 연습이 필요한 경우 [더하기 활동] 29쪽의 〈읽고 쓰기〉를 활용할 수 있다. 쓰기의 주제가 '무엇을 몇 개 사요?'이므로 본 과에서 학습한 물건과 개수, 그리고 가격에 대한 글을 연습해 볼 수 있다.

☐ 활동 2 이전까지는 '빵을 한 개 사요.', '창문이 두 개 있어요.'와 같이 단위 명사 뒤에 조사가 제시되지 않았으나 활동 2의 1번의 경우 '치약 두 개하고 칫솔 다섯 개를 사요.'와 같이 단위 명사 뒤에 조사가 제시되었다. '하고'를 연결해 문장을 만들 경우 단위 명사 뒤에 조사가 제시되는 것이 좀 더 자연스럽다. 해당 단원에서는 단위 명사 뒤에 조사를 사용할 수 있음을 명시적으로 제시하지 않고 예문을 통해 학생들에게 해당 문장을 노출하고 질문이 있을 경우 알려 준다.

일곱 시에 시작해요

☐ 날짜와 요일을 공부하는 단원이다. 먼저 학생들에게 앞서 배운 숫자를 말해 보게 한 후 1월~12월, 1일~31일을 제시한다.

☐ 85쪽, 3번 문제의 경우 학생들이 짝과 같이 생일이 언제인지를 이야기하게 한다. 이때 '유월 유일', '시월 시일'이라는 오류가 나오지 않도록 지도한다. '16일'은 '십육일'로 쓰지만 발음은 [심뉴길]이라고 설명한다. 해당 규칙에 대한 설명은 1급 학생에게는 너무 어려우므로 하지 않는다. 따라 하기를 통해 반복적으로 연습시킨다.

더하기 활동 | 30쪽, 2번

☐ 달력 또는 핸드폰의 캘린더를 보고 날짜와 요일에 대해 묻고 답하는 짝 활동을 한다. 학생들의 연습이 끝난 후에 전체적으로 묻고 답하기를 해도 좋다. 이때 교사는 특별히 주의해야 할 날짜와 요일을 넣어서 연습시킨다.

☐ **도입**

(교재 그림을 가리키며)	(교재 그림을 가리키며)
오늘은 무슨 요일이에요?	언제 한국어 수업이 있어요?
(토요일이에요.)	(수요일이요.)
네. 토요일이에요.	→ 수요일에 한국어 수업이
내일은 무슨 요일이에요?	있어요?
(일요일이에요.)	(네. 있어요.)
토요일과 일요일은 주말	목요일에 한국어 수업이 있
이에요.	어요?
여러분은 주말에 뭐 해요?	(아니요. 없어요.)
(친구를 만나요.)	
이 사람은 언제 유진 씨를	
만나요?	
(주말에 만나요.)	
→ 네. 주말에 만나요.	

□ **설명**

- 의미: 시간을 나타내는 명사에 붙어서 어떤 행동을 하는 때를 나타낸다.

> • 여기에 달력이 있어요. 오늘은 며칠이에요?(이십일일이에요.) 네. 맞아요. 무슨 요일이에요? (토요일이에요.) 내일은 며칠이에요?(이십이일이에요.) 내일은 토요일이에요? (아니요. 일요일이에요.) 네. 맞아요. 토요일과 일요일을 주말이라고 해요. 여러분은 언제 친구를 만나요? 저는 주말에 만나요. 주말에 친구를 만나요.
> • 우리가 어떤 일을 해요. 그런데 언제 해요? 시간을 이야기하고 싶어요. 그때 '에'를 사용해요. 시간 뒤에 '에'를 붙여야 돼요. 주말에 친구를 만나요.

- 형태

(시간) 명사에
주말에
토요일에
아홉 시에
열 시 반에

- 제약: '오늘, 내일, 어제, 언제, 지금, 매일, 요즘' 뒤에는 '에'를 쓰지 않는다. '이에요/예요' 앞에는 '에'를 쓸 수 없다.

- 추가 예문

  몇 시에 저녁을 먹어요?

  여섯 시에 먹어요.

□ 86쪽, 1번 문제의 경우 '에'가 있는 질문과 '에'가 없는 질문이 함께 나오므로 질문을 꼼꼼하게 읽어 보게 한다.

□ 86쪽, 2번 문제의 경우 '가다, 오다'와 결합하는 장소 명사 뒤에도 '에'를 붙여서 말하고, 시간을 나타내는 명사 뒤에도 '에'를 말한다는 것을 알려 준다.

□ **도입**

여기에 시계가 있어요. 시간을 알아요? (네./아니요.) 지금 일곱 시 삼십 분이에요. 시간을 물어봐요. → 지금 몇 시예요? 일곱 시 삼십 분이에요.	이 사람은 지금 뭐 해요? (밥을 먹어요.) 네. 이 사람은 밥/점심을 먹어요. 시계를 보세요. 지금 몇 시예요? → 열두 시예요. 열두 시에 점심을 먹어요.

□ **설명**

- 의미: 시간을 나타낼 때 사용한다.

> • 시간을 물을 때는 '몇 시예요?' 이렇게 말해요. 대답할 때는 '한 시, 두 시, 세 시…' 이렇게 말해요. 그렇지만 '몇 분이에요?' 이렇게 물으면 '일 분, 이 분, 삼 분…' 이렇게 말해요.
> • 몇 시에 학교에 와요? (다섯 시에 와요.) 몇 시에 집에 가요? (여덟 시 반에 가요.)

- 형태: '시' 앞에는 고유어 수(한, 두, 세…)를, '분' 앞에는 한자어 수(일, 이, 삼…)를 사용한다.

시		분	
한 시	일곱 시	오 분	삼십오 분
두 시	여덟 시	십 분	사십 분
세 시	아홉 시	십오 분	사십오 분
네 시	열 시	이십 분	오십 분
다섯 시	열한 시	이십오 분	오십오 분
여섯 시	열두 시	삼십 분	

- 참고: '하나, 둘, 셋, 넷, 열하나, 열둘'과 '시'가 연결될 때 '한, 두, 세, 네, 열한, 열두'가 됨을 상기시킨다.

- 추가 예문

  세 시 반에 친구를 만나요.

  지금 열두 시 십 분이에요.

□ 87쪽, 2번 문제의 경우 친구와 함께 오후 일정을 이야기하는 연습이다. 빈칸에 같이 활동하는 친구의 이름을 적은 후 이야기한다.

날씨가 더워요?

더하기 활동 | 32쪽, 2번

□ 한국 문화 수업 안내문을 완성하는 정보 차이 활동이다. 각기 다른 안내문을 보고 자신에게 없는 정보를 상대방에게 묻고 답을 받는다. 없는 정보를 다 채운 후 상대방이 가지고 있는 안내문과 같은지 확인한다.

활동	일정 / 일과	88~89쪽

□ 활동 1의 2번의 경우 학생들 자신의 실제 정보를 사용하여 이야기하는 부분으로, 본 단원의 '어휘와 표현'에서 배운 날짜, 시간, 요일 관련 어휘들을 다시 한번 상기시키고 친구들의 일정/일과에 대해 묻고 답할 수 있도록 한다. 문법 오류가 생길 수 있으므로 교사는 학생들의 활동을 면밀히 관찰한다.

□ 활동 2의 경우 하루 일과를 소개하는 글을 읽고 그에 기반하여 자신의 하루 일과를 써 볼 수 있도록 지도한다. 글을 쓰기 전 무엇을 쓸 것인지 간단하게 메모를 한 후 글을 써 보게 한다. 학생이 쓴 글에 대해 피드백을 제공한다.

더하기 활동 | 33쪽, 2번

□ 자신과 친구의 만남에 대해 글을 써 보는 활동으로 교사는 학생들이 일정을 작성할 종이를 직접 준비해 줘도 좋다. 가상의 내용을 쓰는 것도 가능하며 2명씩 짝을 만들어 같이 할 일을 선정하고 날짜와 요일, 시간을 넣어서 내용을 완성하게 한다. 시간 여유가 있다면 발표를 하게 한다. 교사는 발표를 들은 학생들에게 질문을 하여 학생들이 발표 내용을 제대로 이해했는지 확인한다.

어휘와 표현	날씨와 계절	93쪽

□ 날씨와 계절에 대해 공부하는 단원이다. 먼저 학생들에게 오늘의 날씨가 어떤지, 무슨 계절을 좋아하는지를 이야기하게 한 후 계절의 특징과 날씨에 대한 표현을 함께 제시한다.

□ 93쪽, 3번 문제의 경우 날씨에 대한 표현들을 다시 한번 이야기해 보고 날씨의 상태(⑩ 맑아요)와 기온(⑩ 따뜻해요)을 둘 다 표현할 수 있도록 지도한다.

더하기 활동 | 34쪽, 1번

□ '바람이 많이 불어요.'는 한 계절에만 적용되는 표현은 아니다. 정답에서는 한국의 계절 중 바람이 가장 많이 부는 겨울과 연결하였으나 바람이 많이 부는 상황에서는 다 사용할 수 있음을 설명한다.

더하기 활동 | 34쪽, 2번

□ 짝 활동으로 먼저 연습하고 발표해 보게 한다. 앞에서 배운 어휘들을 함께 사용하면서 4)번에는 학생들이 사용하고 싶은 어휘를 넣어서 연습하게 한다.

문법 1	안	94쪽

※ 본 단원의 문법은 모두 사용 빈도와 중요도가 높은 항목이므로 다른 단원에 비해 교수·학습 시간이 더 필요할 수 있다.

□ 도입

지금 날씨가 좋아요?
(아니요. 비가 와요.)
→ 날씨가 안 좋아요. 비가 와요.

이 사람을 보세요. 옷을 보세요.
이 사람은 오늘 운동해요?
(아니요. 이 사람은 오늘 회사에 가요.)
→ 아니요. 오늘 운동 안 해요.

□ 설명

- 의미: 동사나 형용사 앞에서 부정이나 반대의 뜻을 나타낸다.

- (칠판에 해를 그린 후) 여러분, 지금 비가 와요? (아니요. 날씨가 좋아요.) 날씨가 좋아요. 비가 안 와요. 이렇게 말해요.
- 여러분은 지금 세종학당에 있어요. 지금 운동해요? (아니요. 안 운동해요.) 그런데 '안'을 붙여 '안 운동하다'라고 말하지 않아요. '운동하다'처럼 명사 '운동'과 '하다'가 결합한 동사는 동사 '하다' 앞에 '안'을 넣어야 돼요. '운동 안 해요. 전화 안 해요. 숙제 안 해요. 쇼핑 안 해요.' 이렇게 말해요.

- 형태

안 동사 / 형용사		명사 안 하다
안 먹다	안 좋다	공부 안 하다
안 가다	안 나쁘다	전화 안 하다
안 좋아하다	안 바쁘다	쇼핑 안 하다

- 제약: '있다', '없다'와 결합할 수 없다.

- 추가 예문
  오늘은 친구를 안 만나요.
  날씨가 안 좋아요. 공원에 안 가요.

□ 94쪽, 2번 문제의 경우 빈칸에 같이 활동하는 친구의 이름을 적는다. '좋아하다'와 'N을/를 하다' 형태의 용언이 나올 수 있다. 이때 '안'을 넣는 위치에 주의하며 활동하도록 한다.

- 추가 예문
  가: 커피를 좋아해요?
  나: 아니요. 안 좋아해요. 주스를 좋아해요.
  가: 아르바이트 해요?
  나: 아니요. (아르바이트) 안 해요.

※ 이 문법은 사용 빈도와 중요도가 높은 항목이므로 첫 번째 문법 항목에 비해 교수·학습 시간이 더 필요할 수 있다.

□ 도입

그림을 보세요. 눈이 와요.
오늘 날씨가 어때요? 따뜻해요?
(아니요. 안 따뜻해요.)
→ 네. 오늘은 날씨가 추워요.

이 사람을 보세요. 가방이 있어요. 가방에 물건이 많아요?
(아니요. 안 많아요)
→ 네. 가방이 가벼워요.
여러분 가방에 책이 많아요?
(아니요.)
→ 네. 여러분의 가방이 가벼워요.

□ 설명

- 의미: ㅂ 받침이 있는 몇몇 동사나 형용사 뒤에 모음이 오면 'ㅂ'이 '우'로 바뀌는 현상이다. '우+어요'는 '워요'가 된다.

- 여러분, 선생님 가방에 책이 많아요. 가방이 어때요? (무거워요.) 여러분 가방에는 책이 없어요. 가벼워요. 무겁다, 가볍다는 ㅂ 받침이 있어요. 김치가 맵다, 날씨가 덥다 / 춥다, 숙제가 어렵다 / 쉽다… 모두 ㅂ 받침이 있어요. 뒤에 '-어요'를 붙이게 되면 '무겁어요'가 아니라 '무거워요'가 돼요. 그래서 '가방이 무거워요. 가벼워요. 김치가 매워요.' 이렇게 말해요.

- 형태

ㅂ 불규칙
덥다 → 더워요
춥다 → 추워요
맵다 → 매워요
무겁다 → 무거워요
가볍다 → 가벼워요
쉽다 → 쉬워요
어렵다 → 어려워요

- 제약: '입다'는 ㅂ 받침이 있지만 불규칙 활용을 하지 않는다. '돕다', '곱다'는 '도와요', '고와요'가 되지만 학습자들로부터 먼저 질문이 나오지 않으면 설명하지 않는다.

- 추가 예문
  김치가 안 매워요.
  날씨가 더워요.
  공부가 안 어려워요.

☐ 95쪽, 2번 문제의 경우 ㅂ 불규칙 형용사를 활용하여 문장을 만들어 보는 연습이다. 빈칸에 같이 활동하는 친구의 이름을 적는다. 소개할 대상을 먼저 말하고, 그 내용에 대해 이야기하는 형식으로 활동한다.

발음	'안'의 발음	96쪽

☐ '안'은 띄어 쓰지만 끊어 읽지 않고 자연스럽게 붙여 읽는다.
  안 더워요[안더워요]

☐ **연습용 추가 예문**
  학교에 안 가요[안가요].
  오늘은 비가 안 와요[아나요].

활동	날씨와 계절	96~97쪽

☐ 활동 1의 2번의 경우 표 안에 있는 정보를 보고 이야기하는 부분으로, 8과의 '어휘와 표현'에서 배운 날씨와 계절 관련 어휘들을 다시 한번 상기시키고 친구들과 함께 날씨에 대해 묻고 답할 수 있도록 한다.

☐ 활동 2의 경우 제주도의 사계절을 소개하는 글을 읽고 그에 기반하여 자신의 고향 또는 살고 있는 곳의 계절과 날씨에 대해 써 볼 수 있도록 지도한다. 글을 쓰기 전 간단하게 메모를 한 후 글을 써 보게 한다. 학습자가 쓴 글에 대해 피드백을 제공한다.

더하기 활동 | 37쪽, 2번
☐ 자신의 나라의 계절과 날씨에 대해 써 보는 활동이다. 지역적으로 넓은 경우 각 지역에 대해 따로 써 보도록 한다. 8과에서 배운 어휘와 표현 외에 더 필요한 표현이 있을 경우 교사가 알려 주고 사용하도록 한다.
  예 건기, 우기

1A 09

공원에서 산책했어요

어휘와 표현	주말 활동	101쪽

☐ 자신의 주말 활동을 소개하는 단원이다. 먼저 학생들이 주말에 무엇을 하는지, 누구하고 하는지를 이야기하게 한 후 주말 활동이 이루어지는 장소 관련 어휘들을 제시한다.

☐ 101쪽, 3번 문제의 경우 주말 활동을 나타내는 표현들을 다시 한 번 이야기해 보고 주말 활동의 장소와 연결해 보도록 한다. 일부 장소는 여러 활동의 장소로 언급될 수 있다.
  (예 공원—산책하다, 자전거를 타다, 친구하고 놀다)

더하기 활동 | 38쪽, 2번
☐ 짝 활동으로 먼저 연습하고 이야기해 보게 한다. 앞에서 배운 어휘들을 사용하면서 이야기하도록 지도한다.

문법 1	에서	102쪽

※ 이 문법은 사용 빈도와 중요도가 높은 항목이므로 교수·학습 시간이 더 필요할 수 있다.

□ 도입

주노 씨는 지금 어디에 있어요? (집에 있어요.)
지금 뭐 해요? (청소해요.)
→ 네. 주노 씨는 지금 집에 있어요. 청소해요. 집에서 청소해요.

마리 씨는 지금 어디에 있어요? (회사에 있어요.)
지금 뭐 해요? (일해요.)
→ 네. 마리 씨는 지금 회사에 있어요. 회사에서 일해요.

□ 설명

- 의미: 명사 뒤에 붙어서 동작이 이루어지고 있는 장소를 나타낸다.

• 여기는 주노의 집이에요. 주노는 지금 뭐 해요? (청소해요.) 네. 청소해요. 그런데 주노 씨는 지금 어디에 있어요? (집에 있어요.) 네. 집에 있어요. 청소해요. 집에서 청소해요.

• 이 사람은 마리 씨예요. 마리 씨는 지금 일해요? (네. 일해요.) 지금 집이에요? (아니요. 회사에 있어요.) 네. 회사에 있어요. 회사에서 일해요.

• 우리가 어떤 일을 해요. 그런데 그 장소가 어디예요? 어디에서 해요? '에서'를 사용해서 (장소)에서 어떤 일을 해요. 이렇게 말해요.

- 형태

(장소) 명사에서
학교에서
카페에서
영화관에서
세종학당에서

- 제약: '에서' 뒤에는 동작동사가 붙어야 한다. 이때 '가다, 오다, 있다'는 쓸 수 없다.

- 추가 예문
  영화관에서 영화를 봐요.
  카페에서 친구를 만나요.

□ 102쪽, 2번은 주말에 어디에서 뭘 하는지를 자유롭게 이야기해 볼 수 있도록 한다. 이때 앞서 배운 문법인 '에 가다'와 '(시간)에'를 함께 사용하여 실제성 높은 문장을 만들어 보도록 한다.

예 토요일에 백화점에 가요. 백화점에서 쇼핑해요.
일요일에 공원에 가요. 공원에서 자전거를 타요.

문법 2	-았/었-	103쪽

※ 이 문법은 사용 빈도와 중요도가 높은 항목이므로 첫 번째 문법 항목에 비해 교수·학습 시간이 더 필요할 수 있다.

□ 도입

여러분, 오늘은 무슨 요일이에요?(오늘은 ○요일이에요.) 그림을 보세요. 이 사람들은 뭐 해요? (책을 읽어요). (달력을 보여 주며) 지난주 토요일이에요.
→ 토요일에 책을 읽었어요. 토요일에 도서관에서 책을 읽었어요.

(달력이나 칠판에 과거에 해당하는 날짜를 쓰고 해나 우산을 그린 후)
오늘 날씨가 어때요? (날씨가 좋아요.) 어제는요? (날씨가 좋아요.)
→ 어제는 날씨가 좋았어요.

□ 설명

- 의미: 동사나 형용사에 붙어서 과거의 동작이나 상태를 나타낼 때 사용한다.

• 여러분, 지금 뭐 해요? (공부해요.) 아침 열 시에 뭐 했어요? 언제 했어요? 지금이 아니에요. 다 지나갔어요. 끝났어요. '뭐 해요?'가 아니라 '뭐 했어요?' 이렇게 질문해요. 어떻게 대답해요? '공부했어요. 잤어요. 책을 읽었어요.' 이렇게 대답해요.

• 지금이 아니에요. 과거를 이야기해요. 어제, 지난주에, 아까, 작년에 '-았어요/었어요.' 이렇게 말해요. '-았/었-'을 사용해요. '~하다'는 '했어요'가 돼요.

- 형태

동사/형용사았/었-	
동사/형용사았어요 ㅏ/ㅗ ○	동사/형용사었어요 ㅏ/ㅗ ×
좋다 → 좋았어요	먹다 → 먹었어요
가다 → 갔어요	마시다 → 마셨어요
오다 → 왔어요	배우다 → 배웠어요

동사 / 형용사했어요
'~하다' 동사 / 형용사
일하다 → 일했어요
운동하다 → 운동했어요
요리하다 → 요리했어요

우리 같이 놀이공원에 갈까요?

- 추가 예문

  주말에 카페에서 친구를 만났어요.

  어제 집에서 책을 읽었어요.

  아침 일곱 시에 운동했어요.

□ 103쪽, 2번은 주말에 어디에서 뭘 했는지와 그것이 어땠는지 자유롭게 이야기해 볼 수 있도록 한다.

　예 영화관에 갔어요. 영화를 봤어요. 아주 재미있었어요.

활동	주말 활동	104~105쪽

□ 활동 1의 2번의 경우 학생들 자신의 실제 정보를 사용하여 이야기하는 부분으로 9과의 '어휘와 표현'에서 배운 주말 활동 관련 어휘들을 다시 한번 상기시키고 친구들의 주말 활동에 대해 묻고 답할 수 있도록 한다.

□ 활동 2의 경우 주말 활동을 소개하는 글을 읽고 그에 기반하여 자신의 주말 활동을 써 볼 수 있도록 지도한다. 글을 쓰기 전 간단하게 메모를 한 후 글을 써 볼 수 있게 한다. 학습자가 쓴 글에 대해 피드백을 제공한다.

더하기 활동 | 40쪽, 2번

□ 친구들의 주말 활동에 대해 묻고 답하는 활동으로 3~4명씩 모둠을 만들어 진행한다. 묻고 답하는 활동이 끝난 후에 발표하게 할 수 있다. 발표가 끝난 후 반 전체에서 가장 많이 나온 주말 활동이 무엇인지를 정리해 보고 주말 활동의 인기 순위를 정할 수 있다. 발표 전에 가장 인기 있는 주말 활동을 예측해 보게 할 수도 있다.

어휘와 표현	약속	109쪽

□ 109쪽, 1번의 경우 약속과 관련된 표현을 익히는 부분으로, '오늘 시간이 있어요?'라는 대답에 대한 수락과 거절 표현을 학습한다. 해당 표현을 사용하는 상황에 대한 이야기를 한 후, 교사가 '오늘 시간이 있어요?'라는 질문을 개별 학생들에게 던지고 그에 대한 대답을 해 볼 수 있도록 한다. 혹은 학생 간 질문—대답 형식으로도 진행할 수 있다.

□ 109쪽, 2번의 경우, '친구들과 어떤 약속을 해요?'에 대한 대답으로, 약속의 내용과 관련된 표현을 익히는 부분이다. 제시된 명사와 어울리는 동사를 선택하고 이를 활용하여 질문에 대한 대답을 할 수 있도록 한다. 주어진 표현 외에도 '자전거를 타다', '쇼핑을 하다' 등과 같이 학생들이 친구들과 약속하는 것에 대해 추가적으로 이야기하고 해당 표현을 가르쳐 줄 수 있다.

더하기 활동 | 42쪽, 2번

□ 학생들이 주어진 질문에 대한 대답을 할 때 '친구하고 같이'라는 표현을 넣어서 약속과 관련된 내용으로 말하도록 한다.

문법 1	-고 싶다	110쪽

□ **도입**

주말이에요. 주말에 친구를 만나요.
여러분은 주말 저녁에 친구하고 뭘 먹고 싶어요?
(피자, 불고기, 치킨이요.)
→ 저는 한국 음식을 먹고 싶어요.

방학이에요.
안나 씨가 말해요. '제주도에 가고 싶어요.'
여러분, 안나 씨는 어디에 가고 싶어 해요? (제주도요.)
→ 네. 안나 씨는 제주도에 가고 싶어 해요.

□ **설명**

- 의미: 동사 뒤에 붙어서 원하거나 바라는 일을 나타낸다. 그리고 주어가 다른 사람일 때는 '-고 싶어 하다'를 사용한다.

- 주말이에요. 주말에 친구를 만나요. 여러분은 친구하고 뭘 먹고 싶어요? (피자, 불고기, 치킨이요.) 저는 한국 음식을 아주 좋아해요. 그래서 주말에 친구하고 한국 음식을 먹고 싶어요.
- 방학이에요. 안나 씨가 말해요. "저는 제주도에 가고 싶어요." 자, 제가 여러분에게 질문해요. 여러분, 안나 씨는 어디에 가고 싶어 해요? (제주도요.) 네, 맞아요. 안나 씨는 제주도에 가고 싶어 해요.
- 저는 한국 음식을 아주 좋아해요. 그래서 친구에게 말해요. "한국 음식을 먹고 싶어요."라고 말해요. 이렇게 내가 원하는 일을 말할 때 '-고 싶어요'를 사용해요. 하지만 내 이야기가 아니에요. 다른 사람 이야기를 할 때는 '-고 싶어 하다'를 사용해요. 그래서 "안나 씨는 제주도에 가고 싶어 해요."라고 말해요.

- 형태

동사고 싶다
먹다 → 먹고 싶어요 / 먹고 싶어 해요
받다 → 받고 싶어요 / 받고 싶어 해요
사다 → 사고 싶어요 / 사고 싶어 해요
보다 → 보고 싶어요 / 보고 싶어 해요
잘하다 → 잘하고 싶어요 / 잘하고 싶어 해요

- 추가 예문

오늘 저녁에 김밥을 먹고 싶어요.
저는 영화를 보고 싶어요.
주노 씨는 방학에 여행을 가고 싶어 해요.

□ 110쪽, 2번의 경우 '- 고 싶다'를 사용하여 질문을 하고 대답을 한 후, 해당 내용을 발표할 때는 두 명의 학생이 대화 형식으로 질문하고 대답하거나 한 사람이 인터뷰한 친구의 정보를 가지고 반 친구들 앞에서 '-고 싶어 하다'를 사용하여 발표할 수 있다.

더하기 활동 | 43쪽, 1번

□ 자신의 정보를 이용하여 내가 무엇을 하고 싶은지 '-고 싶다'를 사용하여 먼저 말하고, 1)번부터 4)번까지 제시된 그림을 보며 각 인물들이 무엇을 하고 싶은지 '-고 싶어 하다'를 사용하여 말할 수 있게 한다.

문법 2	-(으)ㄹ까요?	111쪽

□ **도입**

친구와 어디에 있어요?
(공원에 있어요.)
네. 공원이 아주 예뻐요.
친구하고 사진을 같이 찍고 싶어요. 그래서 친구에게 말해요.
→ 여기에서 사진을 찍을까요?

주말이에요.
친구하고 같이 자전거를 타고 싶어요. 그래서 친구에게 말해요.
→ 주말에 같이 자전거를 탈까요?

□ **설명**

- 의미: 동사 뒤에 붙어서 어떤 행동에 대해 상대방의 의견을 물을 때 사용한다.

- 친구와 어디에 있어요? (공원에 있어요.) 네. 공원이 아주 예뻐요. 그래서 친구하고 사진을 같이 찍고 싶어요. 여기에서 사진을 같이 찍어요. 어때요? 친구에게 말해요. 그럴 때 "여기에서 사진을 찍을까요?"라고 말해요. 그럼 어떻게 대답해요? "네. 그래요.", "네. 좋아요." 이렇게 대답해요.
- 주말이에요. 이번 주말에 시간이 많아요. 그래서 친구하고 같이 자전거를 타고 싶어요. 그래서 친구에게 말해요. 주말에 자전거를 같이 타요. 어때요? "주말에 같이 자전거를 탈까요?"라고 말해요. 여러분, 우리 주말에 자전거를 같이 탈까요? (네. 좋아요.)
- 이렇게 어떤 일을 다른 사람하고 같이 하고 싶어요. 어때요? 그 사람에게 물어요. 그럴 때 '-(으)ㄹ까요?'를 사용해요.

- 형태

동사 (으)ㄹ까요?	
동사을까요? 받침 ○	동사ㄹ까요? 받침 ×
먹다 → 먹을까요? 찍다 → 찍을까요? 앉다 → 앉을까요?	가다 → 갈까요? 보다 → 볼까요? 공부하다 → 공부할까요? *놀다 → 놀까요?

- 추가 예문

가: 오늘 같이 점심을 먹을까요?
나: 네. 좋아요.

가: 주말에 영화를 볼까요?
나: 네. 그래요.

가: 내일 유진 씨 생일이에요.
나: 그럼 내일 생일 파티를 할까요?

발음	ㅎ 탈락	112쪽

☐ 받침 'ㅎ' 뒤에 모음이 오면 'ㅎ'은 발음하지 않는다.
  좋아요[조아요]

☐ **연습용 추가 예문**
  저는 한국 드라마를 좋아해요[조아해요].
  교실에 학생들이 많아요[마나요].
  괜찮아요[괜차나요].

활동	주말 약속	112~113쪽

☐ 활동 1의 2번의 경우 주어진 표의 정보를 이용하여 친구와 약속하는 대화를 만들어 말하기 연습을 해 보고 마지막에는 친구와 실제 약속하는 대화를 만들어 보는 활동이다. 이 부분에서 연습한 내용을 바탕으로 활동2의 2번에 있는 친구에게 메시지 보내기 활동을 연계하여 진행할 수 있다. 활동 1의 2번에서는 친구와 약속을 정해 보고, 활동 2의 2번에서는 그 약속을 문자 메시지로 바꾸어 쓰기 활동을 해 보도록 한다.

무슨 음식을 좋아해요?

어휘와 표현	음식	15쪽

☐ 15쪽에 제시된 그림을 이용하여 한국인의 식사 문화에 대해 이야기해 볼 수 있다. 기본적인 상차림에 '밥, 국, 반찬'이 있다는 것을 알려 주고 서양에서 포크나 나이프를 사용하는 것과는 달리 숟가락과 젓가락을 사용한다는 것을 함께 이야기해 줄 수 있다.

☐ 15쪽, 2번 문제의 경우 1번에서 배운 어휘를 떠올리며 빈칸에 알맞은 단어를 써서 단어를 완성하는 활동이다. 음식의 이름을 적는 것이기 때문에 교재에 주어진 어휘만 답이 되는 것이 아니라 '비빔밥-비빔면'처럼 응용 가능한 어휘를 답으로 인정할 수 있다.

더하기 활동 | 6쪽, 1번

☐ 주어진 표에서 한국 음식 이름 8개(불고기, 비빔밥, 김치찌개, 라면, 잡채, 떡볶이, 김밥, 냉면)를 찾아내는 활동이다. 해당 활동은 개별 게임으로 진행하거나 팀별 게임으로 진행하여 한국 음식 이름 8개를 가장 빨리 찾아내는 팀이 이기는 활동으로 진행할 수 있다.

□ 도입

한국 음식이 있어요. 그리고 미국 음식, 중국 음식, 일본 음식이 있어요.
→ 여러분은 무슨 음식을 좋아해요?
저는 한국 음식을 좋아해요.

생일에 선물을 받았어요? (네.)
→ 무슨 선물을 받았어요? (옷을 받았어요.)
(그림을 가리키며) 이 그림을 보세요.
→ 이 사람은 무슨 선물을 받았어요? 운동화를 받았어요.

□ 설명

- 의미: 명사 앞에서 그 명사에 대해 더 구체적으로 질문할 때 사용한다.

- 여기에 음식이 많아요. 한국 음식이 있어요. 미국 음식, 중국 음식, 일본 음식이 있어요. 무엇을 좋아해요? 질문해요. 그때 "무슨 음식을 좋아해요?"라고 말해요. 여러분은 무슨 음식을 좋아해요? (저는 한국 음식을 좋아해요.)
- 여러분은 생일에 선물을 받았어요? (네.) 무엇을 받았어요? 무슨 선물을 받았어요? (옷을 받았어요.) 여기 그림을 보세요. 이 사람은 생일에 무슨 선물을 받았어요? (운동화를 받았어요.)
- 친구가 말해요. "저는 한국 음식을 좋아해요." 한국 음식이 많아요. 비빔밥, 불고기, 된장찌개 등 많이 있어요. 그래서 무엇을 좋아해요? 질문해요. 그럴 때 "무슨 음식을 좋아해요?"라고 말해요.

- 형태

무슨 명사
무슨 음식
무슨 운동
무슨 과일
무슨 노래

- 추가 예문

가: 무슨 과일을 좋아해요?
나: 저는 딸기를 좋아해요.

가: 무슨 운동을 자주 해요?
나: 저는 축구를 자주 해요.

가: 무슨 노래를 들었어요?
나: 한국 노래를 들었어요.

□ 16쪽, 1번 문제의 경우 학생들의 실제 정보를 이용하여 대답할 수 있다.

□ 16쪽, 2번 문제의 경우 동물과 관련한 단어들을 많이 배우지 않았기 때문에 활동을 시작하기 전에 개, 고양이, 호랑이, 사자, 코끼리 등의 동물 어휘를 그림과 함께 제시해 준다.

□ 도입

친구가 이야기해요.
우리 같이 수영장에 갈까요?
그런데 저는 수영을 안 배웠어요.
그래서 대답해요.
→ 미안해요. 저는 수영을 못 해요.

여러분은 떡볶이를 좋아해요? (네./아니요.)
○○ 씨는 떡볶이를 좋아해요.
→ 그런데 저는 떡볶이를 못 먹어요. 떡볶이는 너무 매워요.

□ 설명

- 의미: 동사 앞에서 어떤 행동을 할 능력이 없거나 어떤 원인 때문에 그 행위를 할 가능성이 없음을 나타낸다.

- 친구가 말해요. 우리 같이 수영장에 갈까요? 그런데 저는 수영을 안 배웠어요. 그래서 대답해요. 미안해요. 저는 수영을 못 해요.
- 여러분은 떡볶이를 좋아해요? (네. / 아니요.) ○○ 씨는 떡볶이를 좋아해요. 그런데 저는 떡볶이를 못 먹어요. 떡볶이는 너무 매워요. 그래서 못 먹어요.
- 저는 수영을 안 배웠어요. 그래서 수영을 못 해요. 떡볶이는 너무 매워요. 그래서 못 먹어요. 이렇게 말해요.

- 형태

못 동사
먹다 → 못 먹어요
입다 → 못 입어요
타다 → 못 타요
수영하다 → 수영을 못 해요

- 추가 예문

저는 김치를 못 먹어요.

제 동생은 자전거를 못 타요.

제 친구는 운전을 못 해요.

활동	좋아하는 음식	18~19쪽

□ 활동 1의 2번의 경우 음식 이름이 다양하게 나올 수 있다. 학생들의 발표를 통해 새로운 음식 이름이 나올 경우, 그림이나 사진을 이용하여 음식 이름을 한국어로 함께 배워볼 수 있다.

더하기 활동 | 8쪽, 2번

□ 우리 반 친구들이 좋아하는 것을 조사해 보고 그 결과를 함께 이야기해 보는 활동이다. 반 전체를 대상으로 진행하거나 혹은 5~6명씩 팀으로 묶어서 좋아하는 음식, 운동, 그리고 그 외 한 가지에 대해 질문하고 대답한 후, 팀별로 그 결과를 발표하는 것도 좋다. 문제에서 주어진 것 외에도 '음악이나 노래, 영화, 과일, 동물, 색깔' 등에 대해서 다양하게 조사하고 그 결과를 이야기해 볼 수 있다.

더하기 활동 | 9쪽, 2번

□ 학생들 나라의 대표 음식을 소개하는 글이 아니라 상차림과 같은 식사 문화에 대한 글을 쓰는 것이다. 주로 무엇을 먹는지, 식사 도구는 어떤 것을 사용하는지를 1번의 글과 유사한 구조로 간단하게 써 보는 활동이다.

도서관에 책을 빌리러 가요

어휘와 표현	취미 활동	23쪽

□ 자신의 취미를 소개하는 단원이다. 먼저 학생들의 취미가 무엇인지, 무엇을 좋아하는지 함께 이야기해 보고 취미 활동을 얼마나 자주 하는지 묻고 활동의 빈도를 나타내는 표현들도 함께 공부한다.

□ 23쪽, 2번 문제의 경우 취미 활동을 나타내는 표현들을 다시 한 번 이야기해 보고 함께 사용하는 동사를 익힐 수 있도록 지도한다. '책'과 '신문'은 '읽다'와 함께 쓰도록 교재에는 나와 있으나 '보다'와도 함께 쓰일 수 있음을 알려 준다.

동사	읽다	보다	부르다	치다	하다
명사	책 신문	영화 드라마 콘서트	음악 노래	기타 피아노	게임 등산 수영 여행

더하기 활동 | 10쪽, 2번

□ 각 질문에 대한 내용을 짝 활동으로 먼저 연습하고 발표해 본다. 앞에서 배운 어휘들을 함께 사용하여 말하도록 한다.

문법 1	-(으)러 가다	24쪽

※ 이 문법은 사용 빈도와 중요도가 높은 항목이므로 두 번째 문법 항목에 비해 교수·학습 시간이 더 필요할 수 있다.

□ 도입

(교재 그림을 가리키며) 이 사람들은 지금 어디에 가요? (식당에 가요.) 왜 식당에 가요? (점심을 먹고 싶어요.)
→ 재민 씨가 지금 어디에 가요?
점심을 먹으러 식당에 가요.

이 사람은 무엇을 하러 가요?
(축구를 하러 가요.) 몇 시에 가요?
(세 시에 가요.)
→ 이 사람은 오늘도 축구를 하러 가요?
네. 세 시에 가요.

□ 설명
- 의미: 동사 뒤에 붙여서 이동의 목적을 말할 때 사용한다.

- 이 사람들은 식당에 가요. 왜 식당에 가요? (점심을 먹고 싶어요.) 맞아요. 이 사람들은 점심을 먹으러 식당에 가요.
- 재민 씨는 지금 축구를 하러 가요. 몇 시에 가요? (세 시에 가요.) 재민 씨는 오늘도 축구를 하러 가요? (네. 세 시에 축구를 하러 가요.) 맞아요. 재민 씨는 오늘도 세 시에 축구를 하러 가요.
- 우리가 어디에 가요. 거기에 왜 가요? 목적을 이야기하고 싶어요. 이럴 때 '-(으)러 가요'를 사용해요. '가다' 대신에 '오다', '다니다'와 같은 동사와도 함께 사용할 수 있어요.

- 형태

동사(으)러 가다	
동사으러 가다 받침 ○	동사러 가다 받침 ×, 받침ㄹ
먹다 → 먹으러 가다 씻다 → 씻으러 가다 찾다 → 찾으러 가다	보다 → 보러 가다 부르다 → 부르러 가다 *놀다 → 놀러 가다

- 추가 예문
공원에 자전거를 타러 가요.
과일을 사러 마트에 왔어요.
재민 씨는 수영을 배우러 다녀요.

□ 24쪽, 2번은 그림에 나와 있는 장소에 가는 목적을 묻고 '-(으)러 가다'를 사용하여 대답할 수 있도록 한다. '-(으)러 가다' 연습이 끝나면 '-(으)러 오다'를 사용하여 추가적인 연습을 할 수도 있다. 이때는 해당 장소에서 두 친구가 만난 상황이라는 것을 미리 알려 주고 '-(으)러 오다'를 사용하여 대답하도록 한다.
예 가: 카페에 왜 왔어요?
나: 친구를 만나러 왔어요.

문법 2	도	25쪽

□ 도입

이 사람들이 뭐 해요?
(자전거를 타요.)
안나 씨가 자전거를 타요?
(네. 자전거를 타요.)
수지 씨는 자전거를 타요?
(네. 자전거를 타요.)
→ 누가 자전거를 타요?
안나 씨가 자전거를 타요. 수지 씨도 자전거를 타요.

오늘은 월요일이에요. 월요일에는 한국어 수업이 있어요? (네. 있어요.)
또 언제 한국어 수업이 있어요? (수요일에 있어요.)
→ 월요일에 한국어 수업이 있어요. 그리고 수요일에도 있어요.

□ 설명
- 의미: 명사나 일부 조사 뒤에 붙어서 이미 어떤 것이 포함되고 그 위에 더함의 뜻을 나타낸다.

- 이 사람들은 자전거를 타요. 누가 자전거를 타요? (안나 씨하고 수지 씨가 타요.) 네. 맞아요. 안나 씨가 자전거를 타요. 또 수지 씨가 자전거를 타요. 이럴 때 '수지 씨도 자전거를 타요.'라고 말해요.
- 한국어 수업이 언제 있어요? (월요일에 있어요. 또 수요일에 한국어 수업이 있어요.) 이럴 때는 '월요일에 한국어 수업이 있어요. 그리고 수요일에도 있어요.'라고 말해요.

- 형태

명사도
빵도
컴퓨터도
안나 씨도
아침에도

- 참고: 문장에서 주어, 목적어 뒤에 '도'가 붙으면 '은 / 는', '이 / 가', '을 / 를'은 쓰지 않는다. 그러나 '에', '에서'의 경우에는 '에도', '에서도'라고 쓴다.

- 추가 예문
  점심에 라면을 먹었어요. 김밥도 먹었어요.
  교실에 안나 씨가 있어요. 마리 씨도 있어요.
  월요일에 수영장에 가요. 금요일에도 가요.

발음	격음화	26쪽

□ 받침 'ㄱ, ㄷ, ㅂ, ㅈ' 뒤에 'ㅎ'이 오는 경우에는 두 소리를 합하여 [ㅋ], [ㅌ], [ㅍ], [ㅊ]으로 발음한다.
  특히[트키]

□ **연습용 추가 예문**
  생일 축하해요[추카해요].
  내년에 대학교에 입학해요[이파캐요].
  방이 깨끗해요[깨끄태요].

활동	취미 활동	26 ~ 27쪽

□ 활동 1의 2번의 경우 학생들 자신의 실제 정보를 사용하여 이야기하는 부분으로 본 단원의 '어휘와 표현'에서 배운 취미 활동 관련 어휘들을 다시 한번 상기시키고 친구들의 취미 활동에 대해 묻고 답할 수 있도록 한다. '사진 찍는 것'과 같이 '동사+는 것'의 형태가 필요한 경우, 하나의 덩어리 표현으로 알려 줄 수 있다.

□ 활동 2의 경우 취미 활동을 소개하는 글을 읽고 그에 기반하여 자신의 취미 활동을 써 볼 수 있도록 지도한다. 글을 쓰기 전 교재에 제시된 질문에 대한 메모를 한 후 글을 써 볼 수 있게 한다. 교사는 학생들이 쓴 글에 대해 피드백을 제공한다.

더하기 활동 | 13쪽, 2번

□ 취미 활동에 대한 안내문을 직접 만들어 보는 활동으로 교사는 학생들이 안내문을 작성할 종이를 직접 준비해 줘도 좋다. 단독으로 안내문을 만들기보다는 2~3명씩 그룹을 만들어 그룹별로 안내문을 만들도록 한다. 학생들이 작성한 안내문을 교실에 붙이고 참여해 보고 싶은 취미 활동에 이름을 적게 하여 가장 인기가 많은 취미 활동 안내문을 선정해 볼 수 있다.

백화점에서 쇼핑할 거예요

어휘와 표현	옷차림	31쪽

□ 각 반의 학생들이 오늘 수업에 무엇을 입고 왔는지, 무엇을 신고 왔는지, 무엇을 매고 왔는지 함께 이야기해 본다.

□ 학교에 갈 때, 회사에 갈 때, 운동 등 취미 생활을 할 때 무엇을 입고 가는지, 무엇을 입고 하는지 질문하고 대답해 본다.

□ 명사와 탈부착 동사를 연어 관계를 통해 함께 익힐 수 있도록 지도한다.

동사	매요	입어요	써요	신어요
명사	넥타이 리본	티셔츠 청바지 치마 정장 운동복	모자 안경	구두 운동화

- 참고: '메다'는 '어깨에 걸치거나 올려 놓다'라는 뜻으로 '어깨에 배낭을 메다'와 같이 사용할 수 있다. 반면 '매다'는 '끈이나 줄 따위의 두 끝을 엇걸고 잡아당기어 풀어지지 아니하게 마디를 만들다'라는 뜻으로 '신발 끈을 매다/넥타이를 매다'와 같이 사용할 수 있다.

더하기 활동 | 14쪽, 2번

□ 오늘 어떤 옷을 입었는지 묻고 답하는 경우 한국어에서는 현재형이 아닌 과거형으로 이야기한다는 것을 알려 준다.
  ⑩ 가: 오늘 안나 씨는 뭘 입었어요?
    나: 안나 씨는 티셔츠하고 청바지를 입었어요.
    가: 안나 씨는 뭘 신었어요?
    나: 운동화를 신었어요.

※ 본 단원의 문법은 모두 사용 빈도와 중요도가 높은 항목이므로 다른 단원에 비해 교수·학습 시간이 더 필요할 수 있다.

□ 도입

이 사람이 어디에 가요?
(기차역에 가요.)
왜 기차역에 가요?
(친구가 와요.)
→ 기차역에 왜 가요?
친구가 와서 기차역에
가요.

이 사람은 뭘 샀어요?
(정장을 샀어요.)
왜 정장을 샀어요?
(친구 결혼식이 있어요.)
→ 정장을 왜 샀어요?
친구 결혼식이 있어서
정장을 샀어요.

□ 설명

- 의미: 동사나 형용사 뒤에 붙여서 이유를 말할 때 사용한다.

• 여기는 기차역이에요. 이 사람이 지금 기차역에 가요. 왜 기차역에 가요? (친구가 와요.) 맞아요. 친구가 와서 기차역에 가요.

• 이 남자는 어제 백화점에서 정장을 샀어요. 멋있지요? 그런데 왜 남자가 정장을 샀어요? 무슨 일이 있어요? (친구 결혼식이 있어요.) 네. 이 남자는 친구 결혼식이 있어서 정장을 샀어요.

• 우리가 어떤 일을 해요. 그런데 그 일을 왜 해요? 이유를 이야기하고 싶어요. '-아서/어서'를 사용해요.

- 형태

동사·형용사아서 / 어서	
동사·형용사아서 ㅏ/ㅗ ○	동사·형용사어서 ㅏ/ㅗ ×
많다 → 많아서 가다 → 가서 보다 → 봐서	찍다 → 찍어서 입다 → 입어서 있다 → 있어서
동사·형용사해서 '~하다' 동사	
요리하다 → 요리해서 좋아하다 → 좋아해서 따뜻하다 → 따뜻해서	

- 추가 예문

머리가 아파서 약을 먹었어요.
시험이 있어서 공부해요.
시계가 비싸서 안 샀어요.

- 제약: 과거 '-았/었-', 미래·추측의 '-겠-'과 결합하지 않는다.
  예 친구를 오랜만에 만났어서 기분이 좋았어요. (×)

- 뒤 절에 청유문이나 명령문이 올 수 없다.
  예 날씨가 좋아서 놀러 갑시다. (×)

□ 32쪽, 2의 4)번의 경우 자신이 한국어를 공부하는 이유를 자유롭게 말해 볼 수 있도록 한다. 이때 동사, 형용사를 모두 사용할 수 있고 앞서 배운 문법인 '-고 싶다'와도 결합하여 사용할 수 있음을 알려 준다.
  예 한국 드라마를 보고 싶어서 한국어를 공부해요.
  한국 친구를 만나고 싶어서 한국어를 공부해요.

□ 도입

여러분, 지금은 점심이에요. 이 여자는 저녁에 책을 읽어요? (아니요.) 그럼 저녁에 뭐 해요? (자전거를 타요) 네. 맞아요. 공원에 가요. 그리고 자전거를 탈 거예요.
→ 저녁에 책을 읽을 거예요? 아니요. 공원에서 자전거를 탈 거예요.

오늘은 금요일이에요. 내일은 토요일이에요. 내일 두 사람은 뭘 해요?
(쇼핑해요.)
맞아요. 지금이 아니에요. 내일이에요. 내일 쇼핑할 거예요.
→ 이번 주말에 뭐 할 거예요? 백화점에서 쇼핑할 거예요.

□ 설명

- 의미: 동사 뒤에 붙여서 미래의 일이나 계획을 나타낸다.

• 여러분, 지금은 오후 3시예요. 이따가 저녁에 뭐 해요? 이야기하고 싶어요. 이때 '저녁에 뭐 할 거예요?' 이렇게 질문해요. 어떻게 대답해요? '공원에서 자전거를 탈 거예요.' 말할 수 있어요.

• 오늘은 금요일이에요. 내일은 주말이에요. 지금 아니에요. 내일이에요. 오늘은 한국어를 공부해요. 이렇게 말해요. 하지만 내일은 쇼핑할 거예요. 이렇게 이야기해요.

• 지금이 아니에요. 미래를 이야기해요. 이따가 저녁, 오늘 밤, 내일, 이번 주말에 뭐 해요? 이야기해요. '-(으)ㄹ 거예요.'를 사용해요.

- 형태

동사 (으)ㄹ 거예요	
동사을 거예요 받침 ○	동사ㄹ 거예요 받침 ×
먹다 → 먹을 거예요 찍다 → 찍을 거예요 *듣다 → 들을 거예요	가다 → 갈 거예요 만나다 → 만날 거예요 *놀다 → 놀 거예요

- 추가 예문

  저녁에 불고기를 먹을 거예요.

  내일 친구를 만날 거예요.

  주말에 공원에서 산책을 할 거예요.

- 참고: '-(으)ㄹ 거예요'는 미래, 추측의 의미를 가지고 있다.

  본 과에서는 추측의 의미는 설명하지 않는다.

활동	쇼핑 계획	34~35쪽

□ 활동 1, 2의 주제가 쇼핑이므로 사전에 해당 국가나 지역 등에서 학생들이 실제로 어떤 장소에서 어떤 물건을 구입하는지 알아보고 도입 단계에서 필요한 어휘를 제시해 줄 필요가 있다. 교재에 등장하는 쇼핑 장소는 백화점, 마트, 옷 가게, 인터넷 쇼핑 등이다. 이외에도 시장, 편의점, 쇼핑몰 등이 있을 수 있고 조금 쉽게 접근하기 위해 신발 가게, 모자 가게 등으로 제시해 줄 수도 있다.

□ 활동 1의 2번의 경우 학생들이 자신의 실제 경험을 이야기해야 하는데 해당 물건이나 음식을 사는 이유를 이야기하는 것이 목표이다. 하지만 학생들이 배운 어휘가 적기 때문에 자신의 생각을 이야기할 때 비문을 만드는 경우가 많을 것이다. 이를 신경 써서 교정해 줄 필요가 있다.

□ 활동 2의 경우 인터넷 쇼핑에 대해서 읽고 그에 기반하여 자신의 쇼핑 계획을 써 볼 수 있도록 지도한다. 제시된 글의 경우 인터넷 쇼핑이지만 인터넷뿐만 아니라 오프라인 쇼핑 역시 가능하다는 것을 알려 준다. 글을 쓰기 전 교재에 제시된 프로세스에 따라 간단히 메모해 보고 시작할 수 있도록 한다. 이때 '왜 살 거예요?'가 가장 중요한 질문이므로 이를 교사가 확인하고 글쓰기를 시작할 수 있도록 한다.

더 큰 사이즈는 없어요?

어휘와 표현	기본 형용사	39쪽

□ 반의 관계로 이루어진 형용사의 의미를 설명한다. '비싸요', '싸요'의 경우 교재의 사진 자료만으로는 어휘의 의미를 이해하기가 어려울 수 있으므로 사진으로 제시된 각 가방의 가격을 임의로 제시하여 학습자를 이해시킬 수 있다.

□ 교재의 사진 자료 이외에 제시된 기본 형용사와 함께 사용될 수 있는 다른 명사 어휘를 사진 등으로 제시하여 이해를 도울 수 있다. (커요/작아요: 축구공/야구공, 높아요/낮아요: 건물, 길어요/짧아요: 머리 모양, 비싸요/싸요: 다이아몬드 등 액세서리)

더하기 활동 | 18쪽, 2번

□ 본 활동의 경우 다양한 문장을 생성할 수 있다. 학습자들이 다양하고 참신한 문장을 생성할 수 있도록 지도한다.

예 핸드폰이 커요.	자동차가 편해요.
핸드폰이 비싸요.	자동차가 작아요.
사과가 작아요.	자동차가 비싸요.
사과가 비싸요.	건물이 비싸요.
의자가 높아요.	치마가 불편해요.

문법 1	-(으)ㄴ	40쪽

※ 본 단원의 문법은 모두 사용 빈도와 중요도가 높은 항목이므로 다른 단원에 비해 교수·학습 시간이 더 필요할 수 있다.

□ 도입

여기는 우산 가게예요. 뭐가 있어요? (우산이 있어요.) 찾는 우산이 작아요? 커요? (작아요.) 네. 손님이 작은 우산을 사고 싶어 해요.
→ 뭘 찾으세요?
　작은 우산을 사고 싶어요.

여기는 어디예요? (가방 가게예요.) 가방이 어때요? (아주 예뻐요.) 네. 저는 오늘 예쁜 가방을 사고 싶어요.
→ 오늘 뭐 살 거예요?
　예쁜 가방을 살 거예요.

□ 설명
- 의미: 형용사 뒤에 붙어서 뒤에 오는 명사를 수식하여 그 상태를 나타낸다.

- 여기에 우산이 있어요. 왼쪽 우산은 커요. 오른쪽 우산은 작아요. 손님은 어떤 우산을 사고 싶어 해요? (오른쪽 우산이요.) 오른쪽 우산은 어떤 우산이에요? (작아요. 우산이요.) 작은 우산, 이렇게 이야기해요.
- 자, 여러분. 여러분은 가방을 사고 싶어요. 가방 가게에 가방이 많이 있어요. 이 가방은 커요. 이 가방은 작아요. 이 가방은 비싸요. 이 가방은 예뻐요. 여러분은 어떤 가방을 사고 싶어요? (예뻐요. 가방이요.) 아, 예쁜 가방을 사고 싶어요? 저도 예쁜 가방을 사고 싶어요.
- 여러분, 어떤 명사가 있어요. 그리고 그 명사를 설명하고 싶어요. 어때요? 어떤 ○○예요? 우리는 앞에서 설명해요. 그래서 '작은 우산, 예쁜 가방' 이렇게 이야기해요.

- 형태

형용사(으)ㄴ	
형용사(으)ㄴ 받침 ○	형용사ㄴ 받침 ×, 받침 ㄹ
작다 → 작은 넓다 → 넓은 낮다 → 낮은	크다 → 큰 비싸다 → 비싼 *길다 → 긴

- 추가 예문
　큰 집에 살고 싶어요.
　편한 의자를 살 거예요.
　짧은 머리가 좋아요.

□ 교재 40쪽, 2번에 제시된 삽화에 나와 있는 사물 중 창문, 침대, 책상(탁자), 화분(나무, 꽃), 베개 등이 묘사의 대상이 될 수 있다. 새 어휘의 경우 학습자가 요청할 경우에 제시한다.

□ 도입

여기는 가방 가게예요. 손님하고 점원이 이야기해요. 손님이 질문해요. '큰 가방이 있어요?' 점원은 어떻게 대답해요? ('네. 있습니다.')
→ 큰 가방 있어요?
　네. 여기 있습니다.

여러분, 누가 회사에 다녀요? (○○ 씨가 회사에 다녀요.) 회사에서 높은 사람이 ○○ 씨에게 질문해요. '오늘 회의는 몇 시에 합니까?' ○○ 씨는 어떻게 대답해요? (다섯 시에 합니다.) 네. 맞아요.
→ 오늘 회의는 몇 시에 합니까?
　다섯 시에 합니다.

□ 설명
- 의미: 동사, 형용사에 붙여서 서술하거나 물을 때 사용한다. 예의와 격식을 차려서 말해야 하는 상황에서 사용하는 격식체이다.

- 여러분이 가방 가게에 가요. 점원에게 질문해요. '큰 가방이 있어요?' 그런데 손님하고 점원은 사이가 가까워요? 멀어요? (멀어요.) 네. 맞아요. 그래서 '네. 있어요.' 이렇게 이야기할 수 있지만 '네. 있습니다.' 이렇게 이야기해요.
- 여기는 회사예요. 회사에는 사람이 많아요. 그런데 더 높은 사람에게 이야기해요. 어떻게 이야기할까요? 높은 사람이 여러분에게 질문해요. '회의를 몇 시에 해요?' 그럼 여러분은 '다섯 시에 합니다.' 이렇게 대답해요.
- 우리는 친구와 이야기해요. 손님과 이야기해요. 부모님과 이야기해요. 회사에서 높은 사람과 이야기해요. 친구와 이야기해요. '-아요/어요'를 사용해서 이야기해요. 하지만 손님, 부모님, 높은 사람, 가깝지 않은 사람과 이야기해요. '-습니다/ㅂ니다'를 사용해서 이야기해요.

- 형태

동사·형용사습니다/ㅂ니다	
동사·형용사습니다 받침 ○	동사·형용사ㅂ니다 받침 ×
먹다 → 먹습니다 찍다 → 찍습니다 있다 → 있습니다 좋다 → 좋습니다	보다 → 봅니다 크다 → 큽니다 예쁘다 → 예쁩니다 *놀다 → 놉니다

- 추가 예문

    저는 딸기를 좋아합니다.

    주말에는 친구하고 영화를 봅니다.

    저는 이 회사에서 일하고 싶습니다.

□ 41쪽, 2번에 제시된 활동은 자신의 꿈에 대한 발표문을 작성한 후 친구들 앞에서 발표하는 것이다. 발표 등과 같은 공식적인 말하기를 할 때는 '-아요/어요' 대신 '-습니다/ㅂ니다'를 사용한다는 것을 알려 준다.

더하기 활동 | 19쪽, 2번

□ 공식적인 인터뷰 상황임을 주지시키고 친한 사이가 아닌 공적 관계에서는 특히 인터뷰어의 경우 '-습니다/ㅂ니다'를 사용해서 이야기하는 경우가 많음을 알려 준다.

□ 각 주제의 경우 다음과 같은 내용이 포함될 수 있다.

예 〈계절〉　　　　　　　〈취미〉

　좋아하는 계절과 이유　　자신의 취미

　그 계절에 하는 활동　　그 활동을 좋아하는 이유

　그 계절에 자주 먹는 음식　취미를 하는 때와 장소

　〈쇼핑〉　　　　　　　〈주말〉

　쇼핑을 좋아하는 이유　　주말에 주로 하는 일과 이유

　자주 사는 물건　　　　그 일을 하면 좋은 점

　쇼핑 장소　　　　　　이번 주말 계획

발음	비음화	42쪽

□ '있습니다' 발음의 경우 비음화 현상에 주의하여 발음해야 한다. 받침 'ㄱ, ㄷ, ㅂ'은 비음 'ㄴ, ㅁ' 앞에서 비음화되어 [ㅇ], [ㄴ], [ㅁ]'으로 발음된다. 교재에는 음절의 끝소리 현상과 비음화 현상이 나타나는 것을 명시적으로 확인할 수 있도록 중간 발음을 제시하였다.

있습니다[읻씁니다] → [읻씀니다]

□ **연습용 추가 예문**

비빔밥을 먹습니다[먹씀니다].

내년에 한국에 갑니다[감니다].

활동	쇼핑	42~43쪽

□ 활동 2의 경우 평소 자신이 자주 가는 쇼핑 장소에 대해 써 보는 활동이다. 활동 전 학생들이 직접 자신이 자주 가는 곳의 사진을 준비해 볼 수 있도록 한다. 발표 시 다른 학생들에게 보여 주면 발표에 대한 관심을 조금 더 높일 수 있을 것이다. 더하기 활동에 전통 시장 쓰기가 있으므로 소재가 겹치지 않도록 주의한다.

1B 05

세종식당이 어디에 있어요?

어휘와 표현	방향과 이동	47쪽

□ 47쪽, 2번과 3번 문제의 경우 제시된 픽토그램이 다소 단편적인 사실만을 전달할 수 있다. 방향과 이동 어휘를 이해하기 위해서는 출발점과 도착점이 중요하므로 출발점과 도착점의 위치를 학생들에게 먼저 자세히 설명할 필요가 있다. 예를 들어, '주차장이 건물 뒤에 있어요. 돌아가세요.'의 경우 칠판에 주차장과 건물의 위치를 그린 후 설명을 한다면 학생들의 이해를 돕고 학생들이 어휘의 의미를 더 쉽게 이해하는 데에 도움이 될 것이다.

더하기 활동 | 22쪽, 2번

□ 제시된 문제를 모두 푼 후 세종학당 건물을 이용해 간단한 말하기 연습을 해 볼 수 있다. 교실을 기준으로 주차장, 화장실, 교무실, 매점 등의 위치에 대해 학생들과 묻고 대답해 볼 수 있다.

□ 도입

여러분은 영화를 자주 봐요? (네. 자주 봐요.) 그래요? 그럼 무서운 영화 자주 봐요? 슬픈 영화 자주 봐요? (무서운 영화를 자주 봐요.) 아! 무서운 영화를 좋아해요? 내용이 어때요, 영화를 좋아해요? 질문해요. 어떤 영화를 좋아해요?

→ 어떤 영화를 좋아해요? 저는 무서운 영화를 좋아해요.

저는 스페인어를 조금 할 수 있어요. 여러분이 저에게 질문해요. 스페인어 공부 방법을 알고 싶어요. 그럼 이렇게 질문해요. 스페인어를 어떻게 배웠어요?

→ 스페인어를 어떻게 배웠어요? 집에서 혼자 공부했어요.

□ 설명

- 의미: 의문사(누구, 어디, 무엇, 언제, 얼마, 어떻게, 왜, 몇, 어떤 등)는 질문하는 문장에서 궁금한 것을 가리킬 때 사용한다.

• 여러분들은 영화를 자주 보지요? 저도 영화를 좋아해서 자주 봐요. 그런데 저는 무서운 영화를 좋아해요. 슬픈 영화는 싫어요. 여러분은 어때요? (저는 슬픈 영화를 좋아해요. / 저는 재미있는 영화를 좋아해요.) 그렇죠? 자, 이제 친구하고 영화관에 갈 거예요. 그런데 친구는 슬픈 영화를 좋아해요? 재미있는 영화를 좋아해요? 무서운 영화를 좋아해요? 알고 싶어요. 그럼 어떻게 질문하면 될까요? 우리는 '어떤'을 사용해서 질문하면 돼요. 'OO 씨는 어떤 영화를 좋아해요?' 그러면 여러분이 대답할 수 있어요. '저는 무서운 영화를 좋아해요.'

• 여러분, 저는 스페인어를 조금 할 수 있어요. 스페인어로 인사할 수 있어요. 그런데 저는 스페인어를 학교에서 배웠을까요? 친구에게 배웠을까요? 아니면 집에서 혼자 공부했을까요? 여러분은 저의 스페인어 공부 방법을 알고 싶어요. 그럼 어떻게 질문할까요? 무슨 단어를 사용해요? 맞아요. '어떻게'를 사용해서 '스페인어를 어떻게 공부했어요?' 이렇게 질문하면 돼요.

• 여러분은 질문을 많이 해요? (네. 많이 해요.) 맞아요. 우리는 질문을 많이 해요. 그게 어때요? 알고 싶어요. 그럼 '어떤'을 사용해요. 사람을 알고 싶어요. '누구'를 사용해요. 물건을 알고 싶어요. '무엇'을 사용해요. 방법을 알고 싶어요. 그럼 '어떻게'를 사용해요. 오늘 우

리는 어떻게 질문해요? 무슨 단어를 사용해서 질문해요? 이걸 배울 거예요.

- 추가 예문
  누가 교실에 있어요?
  어디에서 파티를 해요?
  점심에 뭘 먹어요?
  언제 한국에 가요?
  세종학당에 어떻게 와요?
  가족이 몇 명이에요?
  왜 병원에 갔어요?
  어떤 휴대폰을 사고 싶어요?
  무슨 계절을 좋아해요?

□ 48쪽, 2번의 경우 유진의 취미인 테니스 치기에 대해 다양한 의문사를 이용해 질문하고 대답해 보는 문제이다. 문제 풀이 이후 학생을 한 명씩 지목해 취미가 무엇인지 물어보고 다른 학생들이 그 취미에 대해 다양한 의문사를 이용해 질문해 보는 시간을 가질 수 있다.

예 교사: OO 씨는 취미가 뭐예요?
  OO 씨: 저는 영화를 자주 봐요.
  학생 1: 언제 영화를 봐요?
  학생 2: 누구하고 영화를 봐요?
  학생 3: 얼마나 자주 영화를 봐요?
  학생 4: 무슨 영화를 좋아해요?

□ 도입

여러분, 교실이 어디에 있어요? (저쪽에 있어요.) 네. 교실이 저쪽에 있어요. 저는 교실에 가고 싶어요. 저에게 이렇게 말해요. 저쪽으로 가세요.

→ 교실이 어디에 있어요? 저쪽에 있어요. 저쪽으로 가세요.

여기는 1층이에요. 그런데 주차장은 어디에 있어요? (지하에 있어요.) 맞아요. 주차장은 지하에 있어요. 저는 1층에 있어요. 저는 주차장에 가고 싶어요. 어떻게 가요? 올라가요? 내려가요? (내려가요.) 네. 지하로 내려가세요.

→ 주차장이 어디에 있어요? 이 건물 지하에 있어요. 지하로 내려가세요.

□ **설명**
  - 의미: 명사 뒤에 붙어서 향하는 곳이나 방향을 나타낸다.

> • 여러분, 새 친구가 세종학당에 처음 왔어요. 여기를 잘 몰라요. 그런데 교실을 찾고 싶어요. 그래서 여러분에게 물어봐요. '교실이 어디에 있어요?' 그런데 교실은 저쪽에 있어요. 여러분이 대답해요. 어떻게 대답할 수 있어요? (저쪽에 있어요.) 맞아요. 저쪽에 있어요. '저쪽 가세요. 저쪽으로 가세요.' 이렇게 이야기해요.'
> • 친구가 주차장에서 저를 기다려요. 그런데 저는 주차장이 어디에 있어요? 잘 몰라요. 그래서 질문해요. '주차장이 어디에 있어요?' 그런데 주차장은 지하에 있어요. 저는 1층에 있어요. 어떻게 대답해요? (지하에 있어요.) 맞아요. 지하에 있어요. 내려가세요. 그러니까 '지하로 내려가세요.' 이렇게 말할 수 있어요.
> • 이쪽, 저쪽, 1층, 지하 이렇게 방향을 이야기하고 싶어요. 그럼 우리는 문법 '(으)로'를 사용해서 이야기해요.

  - 형태

명사(으)로	
명사**으**로 받침 ○	명사(**으**)로 받침 ×
앞 → 앞**으**로 이쪽 → 이쪽**으**로 저쪽 → 저쪽**으**로	뒤 → 뒤로 지하 → 지하로 *사무실 → 사무실로

  - 추가 예문
    3층으로 올라가세요.
    이 건물 뒤로 가세요.
    사무실로 오세요.

□ 49쪽, 1번의 경우 두 명의 지도 속 사람의 얼굴이 향하고 있는 기차역 쪽이 '앞쪽'이 된다. 학습자들이 지도를 잘 볼 수 있도록 먼저 설명하고 문제를 풀어 본다.

활동	방향과 이동	50~51쪽

□ 활동 2의 경우 문자 메시지를 이용해 안나의 집의 위치를 파악해 보는 활동이다. 문자로 집의 위치를 소개하고 있기 때문에 학생들이 집의 위치 파악에 어려움을 겪을 수 있다. 텍스트 설명 시 칠판에 간단한 약도를 그려서 설명하면 이해를 도울 수 있다.

더하기 활동 | 24쪽, 1번
□ 듣기를 하기 전에 제시된 세 곳의 장소가 서울의 유명한 관광지임을 설명해 준다.

더하기 활동 | 25쪽, 2번
□ 파티 장소에 찾아갈 수 있는 지도를 그린 후 친구들을 초대하는 초대장을 쓰는 활동이다. 약도를 그릴 경우 파티 장소에서 가장 가까운 버스 정류장이나 지하철역, 또는 유명한 건물 등에서 파티 장소까지 가는 길의 약도를 그려 볼 수 있도록 한다. A3 사이즈 정도의 큰 종이에 약도를 그려 보고 그것을 보여 주며 발표해 보는 시간을 갖도록 한다. 또는 팀을 나누어 반 친구의 생일 파티나 특별한 날을 기념할 수 있는 파티를 구성하게 하도록 한 뒤 파티를 열 수 있는 각 도시의 유명한 장소나 세종학당 근처 식당, 혹은 한국 식당 등에 찾아오는 약도를 함께 그리고 초대장도 쓰는 활동을 해 볼 수 있다.

1B 06

한국미술관까지
어떻게 가요?

□ **도입**

저는 여기에 있어요. 그리고 저기는 누리백화점이에요. 여기에서 출발해요. 누리백화점에 가요. 1시간 걸려요. 그러면 가까워요? 멀어요? (멀어요.) 여기에서 시작해요. 백화점에서 끝나요. 여기에서 백화점까지 가까워요? 이렇게 이야기해요.

→ 여기에서 누리백화점까지 가까워요?
   아니요. 조금 멀어요.

여기는 집이에요. 회사에 가요. 차를 운전해요. 얼마나 걸려요? (한 시간쯤 걸려요.) 어디에서 시작해요. (집이요.) 어디에 가요? (회사요.) 맞아요. 집에서 회사까지 얼마나 걸려요? 이렇게 말할 수 있어요.

→ 집에서 회사까지 얼마나 걸려요?
   한 시간쯤 걸려요.

| 어휘와 표현 | 교통수단 | 55쪽 |

□ 교재에 제시된 교통수단의 경우 전 세계에서 보편적으로 많이 사용하는 것들 위주로 되어 있다. 각 나라나 도시의 상황에 따라 그곳에서 많이 사용하는 교통수단이 있다면 한국어 이름을 가르쳐 줄 수 있다. 그리고 6과 전반에 걸쳐 각 나라와 도시에서 많이 사용하는 교통수단과 그에 맞는 동사를 많이 이야기해 볼 수 있도록 지도한다.

□ 55쪽, 2번의 경우 동사와 함께 사용하는 조사에 주의하여 지도하도록 한다.
· 을/를 운전하다   · 을/를 타다
· (으)로 갈아타다   · 에서 내리다

□ 55쪽, 3번의 경우 문제를 풀기 전 먼저 '타다'와 '가다'를 연결어미 '-고'를 붙여 '타고 가다'로 사용한다는 것을 알려 준다.

더하기 활동 | 26쪽, 2번

□ 기본 교재 55쪽, 3번 활동 후 더하기 활동을 하며 각 교통수단과 다양한 동사를 말해 볼 수 있는 시간을 갖도록 한다. 더하기 활동에 제시된 장소 이외에 학생들의 실제 이동 경로에 있는 집, 회사, 학교, 시장 등에 대해 추가적으로 질문하고 답해 볼 수 있다.

□ **설명**

- 의미: 명사 뒤에 붙어서 출발지와 도착지를 나타낼 때 사용한다.

• 여러분, 저는 지금 여기에 있어요. 백화점에 가고 싶어요. 그런데 한 시간 정도 걸려요. 가까워요? 멀어요? (멀어요.) 맞아요. 여기에서 출발해요. 백화점에 가요. 백화점에 도착해요. 가까워요? 멀어요? 여러분에게 물어보고 싶어요. 그럼 '여기에서 백화점까지 멀어요?' 이렇게 질문할 수 있어요.

• 다시 그림을 보세요. 여기는 집이에요. 그리고 (회사를 가리키며) 여기는 회사예요. 매일 아침 집에서 출발해요. 회사에 가요. 여러분도 회사에 가지요? (네.) 그럼 저는 여러분에게 물어보고 싶어요. 아침에 집에서 출발해서 회사에 가요. 얼마나 걸려요? '집에서 회사까지 얼마나 걸려요?' 이렇게 말할 수 있어요.

• 여러분, 장소가 두 곳 있어요. 집하고 회사, 집하고 세종학당, 공원하고 마트. 이렇게 두 곳이 있어요. 여기에서 출발해요. 저기에 가요. 얼마나 걸려요? 어떻게 가요? 알고 싶어요. 그럼 '에서'와 '까지'를 사용해서 이야기할 수 있어요.

- 형태

명사에서 명사까지
집에서 회사까지
집에서 공원까지

- 추가 예문

집에서 세종학당까지 걸어서 20분쯤 걸려요.
서울에서 부산까지 비행기로 1시간 걸려요.
집에서 공원까지 가까워요.

- 참고: 본교재에 제시된 '에서'의 경우 장소의 시작점을 나타낸다. 시간의 시작점만을 나타낼 때는 사용할 수 없다. '에서'와 '까지'를 함께 사용할 경우 시간의 시작점과 끝 지점을 나타낼 수 있다. 하지만 시간을 말할 때는 '에서' 대신 '부터'를 사용하는 경우가 더 많다. 본 과에서는 시간에 대해서는 다루지 않는다.

| 문법 2 | -아요 / 어요 | 57쪽 |

□ 도입

저는 친구하고 한국으로 여행을 갈 거예요. 그런데 집에서 공항까지 한 시간 걸려요. 어떻게 공항에 가요? (버스를 타세요.) 친구에게 질문해요. 공항에 어떻게 갈까요? 친구는 직접 운전해서 저하고 같이 공항에 가고 싶어요. 그래서 저에게 이야기해요. 제 차를 타고 가요.
→ 공항에 어떻게 갈까요? 제 차를 타고 가요.

오늘 저는 친구하고 저녁 약속이 있어요. 맛있는 음식을 친구하고 같이 먹을 거예요. 비빔밥도 먹고 싶고 불고기도 먹고 싶어요. 그래서 친구에게 질문해요. 저녁에 뭐 먹을까요? 친구는 저하고 같이 비빔밥을 먹고 싶어 해요. 그래서 저에게 이렇게 이야기해요. 비빔밥을 같이 먹어요.
→ 저녁에 뭐 먹을까요? 비빔밥을 같이 먹어요.

□ 설명
- 의미: 동사 뒤에 붙여서 의견을 제안할 때 사용한다.

• 여러분, 친구하고 같이 한국으로 여행을 가요. 비행기를 타고 가요. 그런데 집에서 공항까지 좀 멀어요. 공항까지 어떻게 갈까요? (버스를 타요. 택시를 타요.) 네. 방법이 많아요. 버스를 탈 수 있어요. 택시도 탈 수 있어요. 차를 운전해서 갈 수 있어요. 그래서 친구에게 물어볼 거예요. '공항에 어떻게 갈까요?' 이렇게 물어봐요. 그런데 친구는 운전할 수 있어요. 그래서 저하고 같이 친구 차를 타고 공항에 가고 싶어요. 친구가 저에게 어떻게 대답할까요? (제 차를 타고 갑시다.) 맞아요. '제 차를 타고 가요.' 이렇게도 이야기할 수 있어요.
• 오늘 저녁에는 친구와 저녁 약속이 있어요. 같이 한국 음식을 먹을 거예요. 뭘 먹을까요? (비빔밥이요. 불고기요.) 와, 비빔밥도 좋고 불고기도 좋아요. 친구에게 한 번 물어볼 거예요. '저녁에 뭘 먹을까요?' 친구는 저하고 비빔밥을 먹고 싶어요. 그럼 친구가 저에게 '비빔밥을 같이 먹어요.' 이렇게 이야기해요.
• 다른 사람하고 같이 하고 싶은 일이 있어요. '우리 이거 같이 합시다.' 이렇게 이야기하고 싶어요. 그때 '-아요/어요'를 사용해서 이야기할 수 있어요.

- 형태

동사아요 / 어요	
동사아요 ㅏ / ㅗ ○	동사어요 ㅏ / ㅗ ×
가다 → 가요 보다 → 봐요 만나다 → 만나요	먹다 → 먹어요 읽다 → 읽어요 *듣다 → 들어요
동사해요 '~ 하다'	
일하다 → 일해요 공부하다 → 운동해요 요리하다 → 요리해요	

- 추가 예문
가: 우리 어디에서 만날까요?
나: 세종학당 앞 카페에서 만나요.

가: 무슨 영화를 볼까요?
나: 액션 영화를 봐요.

가: 백화점에 어떻게 갈까요?
나: 같이 택시를 타고 가요.

| 발음 | 경음화 | 58쪽 |

□ '세종학당' 발음의 경우 경음화 현상에 주의하여 발음해야 한다. 받침소리 [ㄱ], [ㄷ], [ㅂ] 뒤에 'ㄷ, ㅂ'이 오면 [ㄸ], [ㅃ]으로 발음한다.
세종학당[세종학땅]

□ 연습용 추가 예문
저는 국밥[국빱]을 좋아해요.
식당[식땅]에 앉아서 밥을 먹어요.

| 활동 | 교통수단 | 58~59쪽 |

□ 활동 1의 2번의 경우 목적지로 가는 데에 이용하는 교통수단뿐만 아니라 걸리는 시간을 묻고 답하는 활동이다. 이때 앞서 배운 '에서', '까지' 문법을 사용하게 되는데 두 개의 문법을 한꺼번에 사용할 수도 있지만 경우에 따라서는 따로따로 사용할 수 있다는 것을 알려 준다. 또한 실제 일상생활에서 이동하는 장소에 대해 친구들과 이야기해 볼 수 있도록 한다.

더하기 활동 | 29쪽, 2번

□ 도시와 도시, 나라와 나라 사이를 이동한 경험에 대해 써 보
   는 것이 좋다. 출발점에서 목적지에 도착하기까지 이용한
   교통수단을 기억하여 꼼꼼하게 작성해 보고 그때 느꼈던 감
   상과 자신의 생각을 함께 작성해 볼 수 있도록 지도한다.

제주도에
가려고 해요

어휘와 표현	여행 계획	63쪽

□ 여행 계획 관련 어휘(여행 장소, 여행 준비물, 여행 활동)를 공부
   하는 단원으로 학생들에게 여행을 좋아하는지, 여행 가서 뭘 하
   고 싶은지에 대해 물어본다.

□ 63쪽, 3번 문제의 경우 짝을 지어 어디로 여행을 갈 계획인지 묻
   고 여행지에 가서 무엇을 할 예정인지를 묻도록 한다. 2번에 나
   온 여행 활동 관련 어휘를 충실히 연습할 수 있도록 한다. 이때 학
   생들이 더 하고 싶은 표현이 있다면 말하게 해도 좋다.

더하기 활동 | 30쪽, 2번

□ 그림을 보고 여행지와 여행지에서의 활동에 대해 말하도
   록 한다. 4)번은 학생들이 자유롭게 만들어서 이야기하도
   록 하며 연습이 끝나면 두 사람이 역할을 바꿔 이야기하
   도록 한다.

문법 1	-(으)려고 하다	64쪽

※ 이 문법은 사용 빈도와 중요도가 높은 항목이므로 두 번째 문법
   항목에 비해 교수·학습 시간이 더 필요할 수 있다.

여러분, 점심 먹었어요? (네. 먹었어요.) 그럼 저녁에는 뭘 먹을 거예요? 저녁 메뉴 생각했어요? (교재 그림을 가리키며) 이 사람이 들고 있는 사진을 보세요. 무슨 음식이에요? (닭갈비예요.) → 네. 이 사람은 오늘 저녁에 닭갈비를 먹으려고 해요.	방학에 뭐 할 거예요? 무슨 계획이 있어요? (여행 갈 거예요.) (교재 그림을 가리키며) 재민 씨는 회사에 다녀요. 휴가가 있어요. 재민 씨는 휴가에 뭘 할 거예요?(여행을 갈 거예요.) → 네. 재민 씨는 여행을 가려고 해요.

□ 설명
- 의미: 동사 뒤에 붙어서 계획이나 의도를 나타낸다.

- 이 사람은 닭갈비를 아주 좋아해요. 그런데 요즘 닭갈비를 못 먹었어요. 그래서 오늘 저녁에는 닭갈비를 먹고 싶어요. '오늘 저녁에 닭갈비를 먹으려고 해요.'라고 말해요.
- 재민 씨는 작년 휴가에 여행을 못 갔어요. 그래서 이번 휴가에 여행을 가고 싶어 해요. '이번 휴가에 여행을 가려고 해요.'라고 말해요.
- 지금 자신의 생각이나 계획을 말하고 싶어요. '오늘 저녁에 닭갈비를 먹으려고 해요.', '이번 휴가에 여행을 가려고 해요.' 이렇게 말해요. 이 생각이나 계획은 조금 바뀔 수 있어요.

- 형태

동사 (으)려고 하다	
동사으려고 하다 받침 ○	동사려고 하다 받침 ×, 받침 ㄹ
먹다 → 먹으려고 하다 읽다 → 읽으려고 하다	가다 → 가려고 하다 공부하다 → 공부하려고 하다 *만들다 → 만들려고 하다

- 제약: 형용사와 결합할 수 없다.

- 추가 예문
  방학에 한국에 가려고 해요.

가: 오늘 뭐 먹을 거예요?
나: 한국 식당에서 불고기를 먹으려고 해요.

□ 64쪽, 2번 문제의 경우 계획한 행동을 하는 이유도 함께 말해야 한다. 1B의 3단원에서 배운 '-아서/어서'를 함께 써야 함을 알려 준다.

더하기 활동 | 31쪽, 2번

□ 학생들의 주말 계획을 인터뷰 형식으로 진행한다. 친구들의 주말 계획을 알아보고 발표하도록 한다. 마지막에는 반 전체에서 가장 많이 하려고 하는 것이 무엇인지 이야기해도 좋다.

문법 2	-고	65쪽

□ 도입

(그림을 가리키며) 여기에 음식이 있어요. 이 음식이 어때요? (맛있어요. / 싸요.) 네. 이 식당 음식이 맛있어요. 그리고 싸요. → 음식이 맛있고 싸요.	이 사람은 여행을 갈 거예요. 어디에 갈 거예요?(제주도요.) 제주도에서 뭘 할 거예요? (등산을 할 거예요. / 낚시를 할 거예요.) 네. 등산을 할 거예요. 그리고 낚시도 할 거예요. → 이 사람은 등산을 하고 낚시도 할 거예요.

#2,500원

□ 설명
- 의미: 동사나 형용사 뒤에 붙여서 두 가지 사실이나 내용을 나열할 때 사용한다.

- 왜 이 식당에 자주 가요? (음식이 맛있어요. 그리고 음식이 싸요.) 네. 두 가지가 좋아요. 음식이 맛있어요. 그리고 싸요. 이럴 때 '음식이 맛있고 싸요.'라고 말해요. '음식이 싸고 맛있어요.'라고 할 수 있어요.
- 제주도에 여행 가요. 제주도에서 등산을 할 거예요. 제주도에서 낚시를 할 거예요. 등산을 할 거예요. 그리고 낚시도 할 거예요. 등산과 낚시, 두 가지를 다 할 거예요. 제주도에서 '등산을 하고 낚시도 할 거예요.' 이렇게 말해요.

- 형태

동사 / 형용사고
먹다 → 먹고
배우다 → 배우고
맛있다 → 맛있고
싸다 → 싸고

- 제약: 선행절에는 시제(과거, 미래)를 적용하지 않는다.

- 참고: 명사 뒤에 '도'를 넣어서 선행절과 후행절에 모두 적용됨
  을 나타낼 수 있다. 이때 '도'는 후행절에만 넣을 수도 있고, 선
  행절과 후행절에 모두 넣을 수도 있다.
  선행절과 후행절을 바꿔서 쓰는 것이 가능하다.
  선행절과 후행절의 주어가 달라도 사용할 수 있다.

- 추가 예문
  제 친구는 공부도 하고 아르바이트도 해요.
  마리 씨는 자고 수지 씨는 책을 읽어요.
  수지 씨는 책을 읽고 마리 씨는 자요.

활동	여행 / 휴가 계획	66~67쪽

□ 활동 1의 2번의 경우 휴가 계획에 대해 이야기하는 부분으로 본
  단원의 '어휘와 표현'에서 배운 휴가 장소, 준비물, 휴가 활동 관
  련 어휘들을 다시 한번 상기시키고 친구들에게 휴가 계획을 묻고
  답할 수 있도록 한다. 문법 오류가 나올 수 있으므로 교사는 학생
  들의 활동을 면밀히 관찰한다.

□ 활동 2의 경우 여행 계획을 소개하는 글을 읽고 그에 기반하여
  자신의 여행 계획을 써 볼 수 있도록 지도한다. 글을 쓰기 전 무엇
  을 쓸 것인지 간단하게 메모를 한 후 글을 써 보게 한다. 학생이
  쓴 글에 대해 피드백을 제공한다.

더하기 활동 | 33쪽, 2번

□ 자신의 여행 계획을 써 보는 활동으로 준비물에 대한 내
  용을 꼭 쓰도록 한다. 이때 준비물이 왜 필요한지를 넣어
  서 쓰도록 해도 좋다. 시간 여유가 있다면 발표를 하게 한
  다. 교사는 발표를 들은 학생들에게 질문을 하여 학생들
  이 발표 내용을 제대로 이해했는지 확인한다.

지난번 여행보다 좋았어요

어휘와 표현	여행 경험	71쪽

□ 여행 경험에 대해 공부하는 단원으로 먼저 여행을 자주 가는지,
  여행 가서 무엇을 했는지를 이야기해 보고 여행에서 한 일과 특
  별한 경험 관련 표현들도 함께 공부한다.

□ 71쪽, 3번 문제의 경우 여행 경험 관련 표현을 다시 한번 이야기
  해 보고 여행 간 곳이 어디였으며 무엇을 했는지를 표현할 수 있
  도록 지도한다.

더하기 활동 | 34쪽, 2번

□ 각 질문에 대한 내용을 짝 활동으로 먼저 연습하고 발표해
  본다. '서울에서 뭐 했어요?'라는 공통 질문을 하면 그림을
  보고 해당 장소에서 무엇을 했는지를 이야기하도록 한다.
  해당 장소에 대한 사전 정보가 없는 학생이 있을 수 있으므로
  교사가 해당 장소에 대한 사전 설명을 한 후 진행해도 좋다.

문법 1	-(으)ㄴ 후에	72쪽

□ 도입

그림을 보세요. 뭐가 있
어요? (약이 있어요.) 네.
약이 있어요. 여러분은 약
을 언제 먹어요? 저는 밥
을 먼저 먹어요. 그리고
약을 먹어요.

→ 밥을 먹은 후에 약을
  먹어요.

그림을 볼까요? 이 사람
은 가수하고 사진을 찍었
어요. 언제 찍었을까요?
콘서트가 끝났어요. 그리
고 가수하고 같이 사진을
찍었어요.

→ 콘서트가 끝난 후에 같
  이 사진을 찍었어요.

□ 설명

- 의미: 동사 뒤에 붙어서 앞의 행위가 뒤의 행위보다 시간적으로 먼저 일어났음을 나타낸다.

> • 여러분이 병원(이나 약국)에 가요. 약을 받아요. 이 약을 언제 먹어요? 의사 선생님(약사 선생님)이 이렇게 말해요. '밥을 먹은 후에 이 약을 드세요.' 밥을 다 먹었어요. 그 다음에 약을 드세요. 밥을 먹은 후에 이 약을 드세요. 약을 언제 먹어요? '밥을 먹은 후에 먹어요.'라고 해요. 앞의 동작이 다 끝났어요. 밥을 다 먹었어요. 그리고 다음 동작, 약을 먹어요.
>
> • 여러분, 콘서트장에 가 봤어요? (네. / 아니요.) 콘서트가 끝났어요. 그 다음에 뭘 해요? (사진을 찍어요.) 네. 사진을 찍어요. 가수가 콘서트장 밖으로 나와요. 같이 사진을 찍어요. 가수하고 같이 사진을 찍어요. 어제 저는 콘서트장에 갔어요. 콘서트가 끝난 후에 가수하고 같이 사진을 찍었어요.

- 형태

동사(으)ㄴ 후에	
동사은 후에 받침 ○	동사ㄴ 후에 받침 ×, 받침 ㄹ
먹다 → 먹은 후에 입다 → 입은 후에 *듣다 → 들은 후에	보다→ 본 후에 운동하다 → 운동한 후에 *만들다→ 만든 후에

- 제약: 형용사와 결합할 수 없다.

- 참고: 앞의 행위가 뒤의 행위보다 먼저 일어났음을 나타내기 때문에 후행절에는 과거, 미래 시제를 다 사용할 수 있다.

- 추가 예문

  밥을 다 먹은 후에 설거지를 할 거예요.

  숙제를 한 후에 텔레비전을 봤어요.

□ 72쪽, 2번 문제의 경우 저녁 시간의 일정이나 계획을 이야기해 보도록 한다. 학생들이 더 추가하고 싶은 동작이 있으면 중간에 추가하게 해도 좋다. 이 연습은 후행절이 미래 시제로 되어 있다. 이 문법의 후행절에는 시제 제약이 없음을 숙지하도록 한다.

□ 도입

25,000원   15,000원

여러분, 여행 좋아해요? (네.) 저도 여행을 좋아해요. 그런데 여러분은 언제 여행을 가요? 여름? 겨울? 저는 여름에 여행을 많이 가요. 여름 여행을 좋아해요. 겨울 여행도 좋지만 여름 여행이 더 좋아요. → 저는 겨울 여행보다 여름 여행이 좋아요.	그림을 보세요. 수박이 얼마예요? (이만 오천 원이에요.) 딸기는 얼마예요? (만 오천 원이에요.) 뭐가 더 비싸요? (수박이 비싸요.) 네. 수박이 더 비싸요. → 수박이 딸기보다 비싸요.

□ 설명

- 의미: 명사 뒤에 붙어서 '보다'와 결합한 명사가 비교의 기준이 됨을 나타낸다.

> • 여러분, 두 가지 여행이 있어요. 여름 여행과 겨울 여행이 있어요. 여러분은 어느 여행을 더 좋아해요? 여름 여행이 더 좋아요? 겨울 여행이 더 좋아요? 저는 여름 여행을 더 좋아해요. 그런데 뭐보다 더 좋아해요? 비교하는 것이 있어요. 겨울 여행하고 비교해요. 겨울은 너무 추워요. 옷이 많이 있어요. 가방이 무거워요. 그래서 여름 여행을 더 좋아해요. '겨울 여행보다 여름 여행이 (더) 좋아요. 여름 여행이 겨울 여행보다 (더) 좋아요.' 이렇게 말해요.
>
> • 과일 가게에 갔어요. 과일을 살 거예요? 무슨 과일을 사요? 여기 두 가지 과일이 있어요. 뭐가 비싸요? (수박요.) 네. 수박이 비싸요. '수박이 딸기보다 (더) 비싸요. 딸기보다 수박이 (더) 비싸요.' 이렇게 말해요.

- 형태

명사보다
토요일 → 토요일보다
백화점 → 백화점보다
버스 → 버스보다
청소 → 청소보다

- 참고: '더'를 붙여서 사용할 수 있다. '보다'가 결합한 명사는
  비교 대상이 되는 명사의 앞이나 뒤에 위치할 수 있다.
- 추가 예문

  사과가 바나나보다 비싸요.

  바나나보다 사과가 비싸요.

  저는 수영보다 테니스를 더 좋아해요.

더하기 활동 | 35쪽, 2번

☐ 의문사가 있는 의문문 대신 선택 의문문을 만들어 질문하게
한다. 이때 문장 끝의 억양이 동일하지 않도록 연습시킨다.
두 항목을 비교한 후 선택하고 선택 이유도 이야기하게 한
다. 2~3명씩 조를 이루어 활동하고 빈칸에는 같이 활동하
는 친구의 이름을 적는다. 친구들이 더 많이 선택한 항목이
무엇인지도 이야기하게 한다.

발음	겹받침 'ㄶ'의 발음	74쪽

☐ 서로 다른 두 개의 자음으로 이루어진 받침을 겹받침이라고
한다. 겹받침 'ㄶ'은 [ㄴ]만 발음한다.

괜찮았어요[괜찬았어요] → [괜차ㄴ써요]

☐ **연습용 추가 예문**

비가 많이[마니] 와서 운동을 못해요.

그 식당 음식이 괜찮아요[괜차나요]?

활동	여행 경험	74~75쪽

☐ 활동 1의 2번의 경우 표 안에 있는 정보를 보고 이야기하는 부분
으로 본 단원의 '어휘와 표현'에서 배운 여행에서 한 일과 특별한
경험 관련 표현들을 상기시키고 친구들과 함께 여행 경험에 대해
묻고 답할 수 있도록 한다.

☐ 활동 2의 경우 서울 여행 경험 소개 글을 읽고 그에 기반하여 자
신의 여행 경험에 대해 써 볼 수 있도록 지도한다. 글을 쓰기 전에
네 부분, 언제 갔어요? 누구하고 갔어요? 뭘 했어요? 어땠어요?
에 쓸 내용을 간단하게 메모를 한 후 글을 써 보게 한다. 학습자가
쓴 글에 대해 피드백을 제공한다.

더하기 활동 | 36쪽, 2번

☐ 자신의 여행 경험에 대해 이야기해 보게 한다. 인상에 남는
여행지를 하나 선택한 후 그곳에서 한 일과 소감을 이야기
해 본다.

더하기 활동 | 37쪽, 2번

☐ 특별한 여행 경험에 대해 글로 써 보게 한다. 여행에 대한 좋
은 기억이 아닌 고생한 기억, 힘들었던 경험을 글로 써 본다.

집에서 푹
쉬어야 돼요

어휘와 표현	신체와 증상	79쪽

☐ 79쪽에 제시된 그림을 이용하여 신체 부위의 명칭과 감기 증상
에 대해 이야기할 수 있다. 먼저 학생들이 이미 알고 있는 신체 부
위명을 이야기해 보고 어휘를 확장한다. 신체 부위명과 결합한
감기 증상(머리가 아파요. 목이 아파요. 등)을 시작으로 다양한
감기 증상을 이야기해 본다.

☐ 79쪽, 3번 문제의 경우 친구와 함께 감기 증상을 두 개씩 이야기
해 본다. 자신이 실제 앓았던 감기의 증상을 상기하며 빈칸에 정
보를 채운 후 이야기해 보게 한다.

더하기 활동 | 38쪽, 2번

☐ 그림을 보고 증상에 대해 이야기하는 짝 활동을 해 본다. 실
제 상황에서 나올 수 있는 "많이 아파요?"로 질문하고 답을
한다. 앞에서 배운 어휘들을 함께 사용하면서 말해 볼 수 있
도록 한다.

□ **도입**

여러분은 무슨 음식을 좋아해요?
(고기요 / 생선요 / 채소요.)
저는 고기를 안 좋아해요.
그렇지만 생선을 좋아해요.
→ 저는 고기는 안 좋아하지만 생선은 좋아해요.

그림을 보세요. 안나 씨는 지금 아파요? (아니요.)
어제는 안나 씨가 많이 아팠어요. 그렇지만 오늘은 괜찮아요.
→ 어제는 많이 아팠지만 오늘은 괜찮아요.

□ **설명**

- 의미: 동사나 형용사 뒤에 붙어서 앞에 나온 사실이나 내용에 반대되는 것을 나타낸다.

- 여러분은 고기를 좋아해요? (네. / 아니요.) 고기를 안 좋아하는 사람이 있어요? (네.) 저도 고기를 안 좋아해요. 그러면 생선도 안 좋아해요? (아니요.) 고기를 안 좋아해요. 그렇지만 생선을 좋아해요. 이럴 때 '저는 고기는 안 좋아하지만 생선은 좋아해요.' 이렇게 말해요. 앞과 뒤가 반대가 돼요. 그러면 '-지만'을 넣어서 문장을 만들 수 있어요. 그리고 반대가 되는 것들, 여기서는 고기와 생선이지요? 그 뒤에는 '은 / 는'을 붙여서 말해요.
- 어제 아팠어요. 오늘 괜찮아요. 안 아파요. '어제 아팠어요, 오늘 괜찮아요.'가 반대되는 내용이에요. 이때는 '어제는 아팠지만 오늘은 괜찮아요.'라고 해요. 어제는 과거예요. 그래서 '-지만' 앞에 '-았 / 었-'을 붙여서 말해야 돼요.

- 형태

동사 / 형용사지만
먹지만
운동하지만
좋지만
아프지만

- 참고: 선행절에 과거, 미래 시제를 사용한다.
  선행절과 후행절의 주어가 다를 수 있다.
  반대가 되는 내용을 표현할 때 조사 '은 / 는'을 사용한다.

- 추가 예문

  어제는 비가 왔지만 오늘은 안 와요.
  저는 한국어를 배우지만 동생은 안 배워요.

□ 80쪽, 2번은 표에 든 정보를 보고 주제에 대해 어떻게 생각하는지 이야기한 후 주제를 자유롭게 선택해서 이야기하게 한다. 3)번 문제 '지난번 여행'에 대해서 이야기할 때는 '-았지만/었지만'을 잘 쓰는지를 확인한다.

  예 가: 학당 앞 식당이 어때요?
  　　나: 음식이 맛있지만 좀 비싸요.

※ 이 문법은 사용 빈도와 중요도가 높은 항목이므로 첫 번째 문법 항목에 비해 교수·학습 시간이 더 필요할 수 있다.

□ **도입**

(그림을 가리키며) 여러분, 이 사람을 보세요.
아파요. 열이 많이 나요. 그러면 어떻게 해요?
(병원에 가요.) 네. 맞아요. 병원에 안 가요. 그러면 더 많이 아파요.
→ 빨리 병원에 가야 돼요.

파티 준비를 하고 있어요. (그림을 가리키며) 뭐가 없어요? (물, 주스가 없어요.) 네. 음료수가 없어요.
→ 음료수가 있어야 돼요.
음료수를 준비해야 돼요.

□ **설명**

- 의미: 동사나 형용사 뒤에 붙어서 어떤 행위를 꼭 하거나 어떤 상태가 되어야 함을 나타낸다.

- 여러분, 지금 많이 아파요. 어떻게 해요? (병원에 가요.) 네. 병원에 가요. 그런데 병원에 안 가요. 그러면 어떻게 돼요? (많이 아파요. / 더 아파요.) 네. 꼭 병원에 가야 돼요. 빨리 병원에 가야 돼요.
- 파티를 할 거예요. 음식을 준비했어요. 케이크도 준비했어요. 그런데 물, 주스, 콜라… 음료수가 있어요? (없어요.) 그럼 무엇을 마셔요? 음료수가 있어야 돼요. 음료수를 사야 돼요. 이렇게 꼭 해야 하는 것, 꼭 있어야 하는 것을 나타낼 때 '-아야 / 어야 되다'를 써요.

- 형태

동사·형용사아야 / 어야 되다	
동사·형용사아야 되다 ㅏ / ㅗ ○ 가다 → 가야 되다 보다 → 봐야 되다 좋다 → 좋아야 되다	동사·형용사어야 되다 ㅏ / ㅗ ✕ 맛있다 → 맛있어야 되다 *듣다 → 들어야 되다 쓰다 → 써야 되다
동사·형용사해야 되다 '~하다' 동사·형용사 공부하다 → 공부해야 되다 운동하다 → 운동해야 되다 청소하다 → 청소해야 되다	

- 참고: 표기에서 '되+어요'는 '돼요'가 됨을 강조한다.

- 추가 예문

　친구 생일이에요. 선물을 사야 돼요.

　날씨가 추워요. 옷을 많이 입어야 돼요.

　내일 시험이 있어요. 공부해야 돼요.

활동	증상(감기와 눈)	82~83쪽

☐ 활동 1의 2번의 경우 학생들이 묻고 대답하는 연습으로서 '어휘와 표현'에서 배운 신체와 증상 관련 어휘를 다시 한번 상기키시고 아픈 사람에게 조언을 해 주는 대화를 만든다. 이때 '어디가 아파요?'라는 질문은 아픈 신체 부위를 묻는 질문이 아니고 지금 아픈지를 묻는 질문이다. 판정의문문의 억양으로 발화하도록 지도해야 한다.

☐ 활동 2의 경우 글을 읽고 자신이 아팠던 것에 대해 써 볼 수 있도록 지도한다. 글을 쓰기 전 언제, 어디가, 어떻게 아팠는지에 대해 간단하게 메모를 한 후 글을 써 보게 한다. 학습자가 쓴 글에 대해 피드백을 제공한다.

더하기 활동 | 40쪽, 2번

☐ 그림을 보고 친구와 같이 인물들이 어디가 아픈지, 어떻게 해야 빨리 나을 수 있는지 이야기한다.

더하기 활동 | 41쪽, 2번

☐ 글을 읽고 자신이나 가족이 아팠을 때 어떻게 했는지에 초점을 맞춰서 글을 쓰게 한다. 가벼운 증상이나 병에 대해서 쓰도록 유도한다.

학교에 가기 전에 수영을 해요

어휘와 표현	건강한 생활	87쪽

☐ 87쪽, 1번 문제의 경우 건강한 생활 습관과 관련된 어휘를 익히는 부분으로 학생들이 평소에 하고 있는 일들을 질문하며 새로운 어휘를 배울 수 있도록 한다.

☐ 87쪽, 2번 문제의 경우 1번에서 배운 어휘를 사용하여 쓴 글로, 앞뒤 관계를 잘 파악하여 적절한 부사어를 넣는 연습을 하도록 한다.

더하기 활동 | 42쪽, 1번

☐ 목적어는 녹색, 부사어는 노란색, 서술어는 파란색으로 표시되어 있는 단어를 보고 보기와 같이 적절하게 문장을 만들고 학생들이 가지고 있는 건강에 좋은 습관에 대해 이야기해 보는 활동이다. 학생들이 카드 색깔을 인지하며 문장을 만들 수 있도록 보기 외에 문장을 하나 더 만들어 보며 문제 유형을 다시 한 번 알려 주는 것이 좋다.

더하기 활동 | 42쪽, 2번

☐ 상단에 있는 좋은 습관을 누가 하고 있는지를 사다리 타기 게임의 형식을 이용하여 질문하고 답하는 활동이다. 학생들이 먼저 사다리 타기를 통해 누구에게 어떤 습관이 있는지 알아보게 한 후, 나온 결과를 가지고 친구와 함께 묻고 답하는 활동으로 진행한다.

| 문법 1 | -기 전에 | 88쪽 |

□ 도입

이 사람은 보통 7시에 저녁을 먹어요.
지금은 6시예요. 저녁을 먹기 전이에요.
→ 저녁을 먹기 전에 뭘 해요?
한국어 숙제를 해요.

이 사람은 지금 대학생이에요.
이 사람은 대학교를 졸업했어요? (아니요.) 네. 대학교를 졸업하지 않았어요. 대학교를 졸업하기 전이에요.
→ 대학교를 졸업하기 전에 뭘 하고 싶어요?
친구들하고 여행을 가고 싶어요.

□ 설명
- 의미: 동사 뒤에 붙어서 뒤의 행동이 앞의 행동보다 먼저 일어났음을 나타낸다.

- 안나 씨가 있어요. 안나 씨는 보통 7시에 저녁을 먹어요. 지금은 6시예요. 안나 씨가 저녁을 먹었어요? (아니요.) 네. 저녁을 먹기 전이에요. 안나 씨는 저녁을 먹기 전에 보통 뭘 해요? (한국어 숙제를 해요.) 맞아요. 저녁을 먹어요. 그 전에 한국어 숙제를 해요. 저녁을 먹기 전에 한국어 숙제를 해요.
- 이 사람은 아직 대학생이에요. 대학교를 졸업했어요? (아니요.) 대학교를 졸업하기 전이에요. 대학교를 졸업해요. 그 전에 친구들과 여행을 하고 싶어요. 생각해요. 이 사람에게 질문해요. 대학교를 졸업하기 전에 뭘 하고 싶어요? (친구들하고 여행을 가고 싶어요.)
- 이렇게 저녁을 먹어요. 그 전에 숙제를 해요. 숙제를 먼저 해요. 그럴 때 '저녁을 먹기 전에 숙제를 해요.'라고 말해요. 어떤 일을 해요. 그 전에 다른 일을 먼저 해요. 그럴 때 '-기 전에'를 사용해요.

- 형태

동사기 전에
먹다 → 먹기 전에
찍다 → 찍기 전에
자다 → 자기 전에
돌아가다 → 돌아가기 전에

- 추가 예문
저녁을 먹기 전에 쇼핑을 해요.
잠을 자기 전에 샤워를 해요.
친구 생일 파티에 가기 전에 선물을 샀어요.

□ 88쪽, 2번 문제의 경우 어떤 일을 하기 전에 하는 일에 대해 생각해 보고 보기와 같이 이야기해 볼 수 있도록 한다. 우리 반 모임 같은 것을 예를 들어 설명해 줄 수 있으며 교재에 주어진 질문은 '-기 전에 뭘 준비해요?'이지만 학생들이 조금 더 다양한 상황을 말할 수 있도록 '-기 전에 뭘 해요?'로도 제시할 수 있다.

| 문법 2 | -아서/어서 | 89쪽 |

□ 도입

이 사람은 오후에 어디에 갈 거예요?
(공원에 가요.)
공원에서 뭐 할 거예요?
(산책해요.)
이 사람은 오늘 오후에 뭐 할 거예요?
→ 공원에 가서 산책을 할 거예요.

이 사람이 지금 뭐 해요?
(김밥을 만들어요.) 맞아요. 이 사람은 김밥을 만들었어요. 그리고 점심에 그 김밥을 먹었어요.
이 사람은 점심에 뭐 먹었어요?
→ 김밥을 만들어서 먹었어요.

□ 설명
- 의미: 동사 뒤에 붙어서 일이 일어난 순서를 나타낸다.

- 이 사람은 오후에 어디에 갈 거예요? (공원에 가요.) 그 공원에서 뭐 할 거예요? (산책해요.) 네. 맞아요. 이 사람은 먼저 공원에 가요. 그리고 그 공원에서 산책을 해요. 공원에 가서 산책을 할 거예요.
- 이 사람이 지금 뭐 해요? (김밥을 만들어요.) 맞아요. 이 사람은 김밥을 만들었어요. 그리고 점심에 그 김밥을 먹었어요. 김밥을 만들어서 먹었어요.
- 이렇게 어떤 일을 먼저 해요. 그리고 그 후에 다른 일을 해요. 그럴 때 '-아서/어서'를 사용해요.

- 형태

동사아서/어서	
동사아서 ㅏ/ㅗ ○	동사어서 ㅏ/ㅗ ✕
가다 → 가서 오다 → 와서 만나다 → 만나서	만들다 → 만들어서 배우다 → 배워서 *쓰다 → 써서

동사해서
'~하다'

초대하다 → 초대해서
전화하다 → 전화해서

한국 음식을
만들 수 있어요?

- 추가 예문

영화관에 가서 영화를 봤어요.

샌드위치를 만들어서 먹었어요.

친구를 초대해서 파티를 했어요.

- 제약: '-아서/어서'는 과거 '-았/었-', 미래·추측을 나타내는 '-겠-'과 결합하지 않는다.

앞 절과 뒤 절의 주어가 같아야 하고, 주로 뒤 절의 주어는 생략한다.

- '-아서/어서'와 '-고'의 비교

-아서 / 어서	-고
행동의 순서를 나타내되, 두 행동이 밀접한 관련이 있다. 예 친구를 만나서 도서관에 갔다. (친구를 만난 후 친구와 같이 도서관에 갔다는 의미)	단순히 행동의 시간적 순서를 나타낸다. 예 친구를 만나고 도서관에 갔다. (동작의 시간 순서만 나타냄. 친구와 만난 후 혼자 도서관에 갔다는 의미)

발음	자음군 단순화	90쪽

□ 겹받침 'ㄼ'은 음절의 끝이나 자음 앞에서 [ㄹ]로 발음하고, 뒤에 모음이 오면 두 자음을 다 발음한다.

여덟[여덜]

□ **연습용 추가 예문**

여덟[여덜] 개예요

교실이 넓어요[널버요].

바지가 짧아요[짤바요].

활동	생활 습관	90~91쪽

더하기 활동 | 44쪽, 2번

□ 그림을 보고 안나 씨의 하루를 이야기해 보는 활동으로 '-아서/어서'와 '-고'를 모두 사용하여 말하게 한다. 교재에 주어진 활동 후에 친구와 함께 학생들의 일상에 대해 이야기해 보는 활동을 추가하여 진행할 수 있다. 또는 반 전체가 특정한 한 인물의 하루 일과에 대해 말해 보는 활동을 추가할 수 있다. 학생들 모두가 한 번씩 참여하여 특정 인물이 아침에 일어나서부터 잠들기 전까지의 일과를 만들어 보고 교사는 활동이 진행되는 동안 학생들이 '-아서/어서'와 '-고'를 적절하게 사용하는지 점검하고 피드백을 준다.

어휘와 표현	모임 준비	95쪽

□ 95쪽, 1번의 경우 모임을 준비하는 과정과 관련된 어휘를 교재의 그림과 연결하여 설명한다.

□ 95쪽, 2번의 경우 1번에서 배운 어휘를 사용하여 질문에 답하는 연습을 할 수 있도록 한다. 이때 조사 사용과 동사의 활용에 주의하여 지도한다.

□ 95쪽, 3번의 경우 모임의 특성에 따라 어떤 준비를 해야 하는지 자유롭게 이야기해 보도록 한다.

더하기 활동 | 46쪽, 2번

□ 모임에 대한 정보를 활용해 이야기하는 활동이다. 실제로 반 모임의 정보를 정한 후 친구와 함께 묻고 답하는 활동으로 진행한다. 추가적인 문장(누가 연락을 할 거예요?, 모임에서 뭐 하고 싶어요? 등)을 더 만들어 묻고 답해 보도록 지도한다.

□ 도입

| 안나 씨가 책을 읽어요. 안나 씨가 무슨 책을 읽어요? (한글 이야기 책이요.) 네. 한글 이야기 책을 읽어요. 안나 씨가 한국어 책을 읽어요.
→ 안나 씨는 한국어를 읽을 수 있어요. | 내일 모임이 있어요. 내일 모임에 같이 갈 거예요?(네. 같이 갈 거예요.) 네. 내일 모임에 같이 갈 거예요.
→ 내일 모임에 같이 갈 수 있어요. |

□ 설명

- 의미: 동사 뒤에 붙어서 어떤 일을 할 수 있는 능력의 유무나 가능 여부를 나타낸다.

> • 안나 씨가 책을 읽어요. 무슨 책을 읽어요? (한국어 책을 읽어요.) 맞아요. 한국어 책을 읽어요. 안나 씨는 한국어를 배웠어요? (네. 배웠어요.) 네. 맞아요. 그래서 안나 씨는 한국어 책을 읽어요. 한국어 책을 읽을 수 있어요.
> • 내일 친구들을 만나요. 내일 모임이 있어요. 친구가 내일 모임에 같이 가요? 안 가요? 궁금해요. 그래서 질문해요. 내일 모임에 같이 갈 수 있어요? 친구는 모임에 같이 가요? (네. 같이 가요.) 맞아요. 친구도 모임에 가요. 그래서 대답해요. 그럼요. 같이 갈 수 있어요.

- 형태

동사(으)ㄹ 수 있다, 없다	
동사을 수 있다, 없다 받침 ○	동사ㄹ 수 있다, 없다 받침 ×, 받침 ㄹ
읽다 → 읽을 수 있다, 없다 먹다 → 먹을 수 있다, 없다 앉다 → 앉을 수 있다, 없다	가다 → 갈 수 있다, 없다 쓰다 → 쓸 수 있다, 없다 *놀다 → 놀 수 있다, 없다

- 추가 예문

> 핸드폰으로 이메일을 보낼 수 있어요.
> 유진 씨는 자전거를 탈 수 있어요.
> 숙제가 많아서 친구를 만날 수 없어요.

□ 96쪽, 1번은 주어진 그림을 보고 대화를 구성하는 활동으로 알맞은 동사를 사용할 수 있도록 주의하여 지도한다.

□ 96쪽, 2번은 어떤 일의 가능 여부와 그 이유를 이야기해 볼 수 있도록 한다. 교재에 주어진 예문 외에도 친구들과 다양한 동사를 활용하여 대화를 구성할 수 있도록 지도한다.

□ 도입

| 수지 씨가 뭐 해요? (케이팝을 들어요.) 네. 맞아요. 수지 씨가 지금 케이팝을 들어요.
→ 수지 씨가 케이팝을 듣고 있어요. | 안나 씨가 모임 준비를 해요. 모임 준비를 다 했어요? (아니요.) 네. 다 못 했어요. 아직 음식을 만들어요.
→ 아직 음식을 만들고 있어요. |

□ 설명

- 의미: 동사 뒤에 붙어서 어떤 동작이 진행되고 있음을 나타낼 때 사용한다.

> • 여러분, 수지 씨가 케이팝을 들어요. 아까부터 케이팝을 들었어요. 케이팝을 다 들었어요? (아니요.) 네. 지금도 케이팝을 들어요. 아까부터 지금까지 계속 케이팝을 들어요. 그럴 때 '수지 씨가 케이팝을 듣고 있어요.'라고 말해요.
> • 안나 씨는 모임 준비를 해요. 무엇을 준비해요? (음식을 만들어요.) 네. 맞아요. 모임 음식을 준비해요. 아까 음식 준비를 시작했어요. 음식을 다 만들었어요? (아니요. 다 못 만들어요.) 네. 아직 다 못 만들었어요. 음식을 아직 만들어요. 그래서 '아직 음식을 만들고 있어요.'라고 말해요.

- 형태

동사고 있다
읽다 → 읽고 있다
듣다 → 듣고 있다
만들다 → 만들고 있다
보다 → 보고 있다
운동하다 → 운동하고 있다

- 추가 예문

주노 씨가 점심을 먹고 있어요.

유진 씨가 사진을 찍고 있어요.

재민 씨는 쉬고 있어요.

활동	모임 준비	98~99쪽

☐ 활동 1, 2는 모임을 주제로 이야기하고 읽고 쓰는 것이 목표이다. 활동 1에서 모임을 준비하기 위한 대화를 연습하고, 활동 2에서는 모임에 다른 사람들을 초대하기 위해 모임을 소개하고 모임에 대해 안내하는 글을 읽고 쓰는 활동을 한다.

☐ 활동 1의 2번은 먼저 2명이 짝이 되어 1)에서 3)번까지 함께 해 보도록 한다. 4)번은 빈칸에 어떤 모임을 하는지, 시간, 모임을 위해 자신이 할 일 등을 써 넣고 그것을 활용하여 이야기하도록 한다. 여기까지의 연습이 끝나면 학생들이 자유롭게 다른 짝을 찾아가 모임 준비에 대해 말하는 연습을 할 수 있도록 한다.

☐ 활동 2의 2번은 1번에 주어진 텍스트를 참고하여 자신이 하고 싶은 모임의 초대장을 써 볼 수 있도록 한다. 모임의 내용에는 모임에 대한 소개를 포함하여 모임에서 하는 일들을 쓸 수 있도록 한다. 쓴 내용을 발표하게 한 후 어떤 모임에 참여하고 싶은 학생들이 많은지 조사하는 활동을 이어서 할 수 있다.

저는 지니 씨에게 펜을 선물할 거예요

어휘와 표현	선물	103쪽

☐ 학습자들이 보통 언제 선물을 하고 그날에는 무슨 선물을 하는지에 대해 함께 이야기해 본다. 그리고 나라에 따라 특별한 날에 하는 선물이 다른 경우도 있으므로 학습자들의 모국과 한국의 문화를 비교해 볼 수도 있다.

☐ 학습자들이 최근에 언제, 그리고 무슨 선물을 받았는지 함께 이야기해 본다. 또한, 지금까지 받았던 선물 중에서 어떤 것이 가장 기억에 남는지도 이야기해 본다.

☐ 103쪽, 3번은 연습이 끝난 후에 추가적으로 학습자가 무슨 선물을 받고 싶은지에 대해서도 질문하고 대답해 볼 수 있다.

🗨 가: ○○ 씨는 생일에 무슨 선물을 받고 싶어요?

나: 저는 지갑을 받고 싶어요.

더하기 활동 | 50쪽, 1번

☐ 반에서 선물 어휘를 누가 가장 빨리 찾는지 겨루는 게임을 통해 학습자의 흥미를 끌어낸다. 교실 상황에 따라 개인전이나 팀 간 경쟁으로 진행할 수 있다.

□ 도입

내일은 안나 씨 생일이에요. 제가 무슨 선물을 준비했어요? (지갑을 준비했어요.) 내일 제가 지갑을 줄 거예요. 누구에게 지갑을 줄 거예요? (안나 씨요.) → 내일 안나 씨에게 지갑을 줄 거예요.	유진 씨가 지금 뭐 하고 있어요? (사진을 보내고 있어요.) 유진 씨가 지금 사진을 보내고 있어요. 누구한테 사진을 보내고 있어요? (형이요.) → 유진 씨가 형한테 사진을 보내고 있어요.

□ 설명

- 의미: 명사 뒤에 붙여서 행위의 영향을 받는 대상을 가리킬 때 사용한다.

- 내일은 안나 씨 생일이에요. 제가 무엇을 줄 거예요? (지갑을 줄 거예요.) 맞아요. 제가 지갑을 줄 거예요. 누가 지갑을 받을 거예요? (안나 씨요.) 네. 안나 씨가 지갑을 받을 거예요. 제가 안나 씨에게 지갑을 줄 거예요.
- 유진 씨가 지금 뭐 하고 있어요? (사진을 보내고 있어요.) 네. 유진 씨가 사진을 보내고 있어요. 누가 사진을 받아요? (형이요.) 맞아요. 형이 사진을 받아요. 유진 씨가 형한테 사진을 보내고 있어요.
- 우리가 어떤 것을 줘요. 보내요. 그런데 누가 받아요? 이야기하고 싶어요. '에게, 한테'를 사용해요.
- '에게'는 글을 쓰거나 말할 때, '한테'는 말할 때 많이 사용해요. 편지, 이메일을 써요. 처음에 '유진 씨한테' 써요? 아니에요. '유진 씨에게'를 써야 해요.

- 형태

명사에게, 한테			
제가	지갑을 →	안나 씨에게	줘요.
유진 씨가	사진을 →	형한테	보내요.

- 추가 예문
  주노 씨가 친구에게 전화해요.
  마리 씨가 수지 씨한테 편지를 써요.
  동생이 강아지한테 밥을 줘요.

□ 이 단원의 목표 문법인 '에게'는 어떤 행동이 미치는 대상을 나타내는 조사이며, '친구에게(서) 선물을 받다'와 같이 행동을 일으키는 대상을 나타내는 조사가 아니다. '에게(서)'는 2단계에서 제시되므로 '에게(서)'의 용법은 이 부분에서 제시하지 않는다.

□ 교재 104쪽, 1번은 '에게'를 먼저 연습한 후에 '한테' 연습을 진행한다.

□ 교재 104쪽, 2번은 학습자들이 '에게'와 '한테'를 자유롭게 사용하도록 한다.

※ 이 문법은 사용 빈도와 중요도가 높은 항목이므로 첫 번째 문법 항목에 비해 교수·학습 시간이 더 필요할 수 있다.

□ 도입

이 사람은 주노 씨하고 오늘 저녁에 만나요? (아니요.) 언제 만나요? (내일 만나요.) 왜 내일 만나요. 말했어요? (오늘은 한국어 수업이 있어요.) 오늘은 한국어 수업이 있어서 못 만나요. 내일 만나요. 말하고 싶어요. → 오늘은 한국어 수업이 있으니까 내일 만나요.	수지 씨의 생일인데 선물을 준비하지 못했어요. 친구에게 질문해요. 수지 씨에게 어떤 선물을 줄까요? (인형이요.) 이 사람은 왜 인형은 어때요? 말했어요? (수지 씨가 인형을 좋아해요.) 수지 씨가 인형을 좋아해요. 그래서 인형을 선물해요. 말하고 싶어요. → 수지 씨가 인형을 좋아하니까 인형은 어때요?

□ **설명**

- 의미: 동사나 형용사 뒤에 붙여서 이유를 말할 때 사용한다.

> • 주노 씨의 오늘과 내일이에요. 친구가 주노 씨에게 오늘 저녁에 만날까요? 말했어요. 주노 씨는 오늘 친구를 만날 수 있어요? (아니요.) 주노 씨가 왜 내일 만나요. 말했어요? (오늘은 한국어 수업이 있어요.) 맞아요. 주노 씨는 내일 만나요. 말하고 싶어요. 그리고 이유도 말하고 싶어요. 오늘은 한국어 수업이 있으니까 내일 만나요. 말해요.
> • 수지 씨의 생일인데 선물을 준비하지 못했어요. 친구가 수지 씨에게 어떤 선물이 좋아요? 말했어요. (인형이요.) 왜 인형은 어때요? 말했어요? (수지 씨가 인형을 좋아해요.) 맞아요. 수지 씨가 인형을 좋아해요. 그래서 인형을 선물해요. 말하고 싶어요. 무엇을 선물해요. 그리고 이유도 말해요. 수지 씨가 인형을 좋아하니까 인형은 어때요? 말해요.
> • 다른 사람에게 어떤 일을 하세요. 같이 해요. 말해요. 그런데 이유도 같이 말하고 싶어요. '-(으)니까'를 사용해요.

- 형태

동사·형용사(으)니까	
동사, 형용사으니까 받침 ○	동사, 형용사니까 받침 ×, 받침 ㄹ
먹다 → 먹으니까 많다 → 많으니까 *듣다 → 들으니까 *맵다 → 매우니까	하다 → 하니까 가다 → 가니까 싸다 → 싸니까 *놀다 → 노니까

- 추가 예문

날씨가 좋으니까 공원에 가요.

이번 주는 바쁘니까 다음 주에 만나요.

이 영화는 봤으니까 다른 영화는 어때요?

□ 명사 결합형이 106쪽 활동 1의 1번에 제시된다. 이 부분에서 명사 결합형(학생이니까, 친구니까 등)도 함께 제시할 수 있다.

- 참고: '-(으)니까'와 같이 이유를 나타내는 문법으로는 '-아서/어서'가 있다. (1B권 3과 32쪽 참고) 학습자들이 '-(으)니까'와의 차이를 잘 알고 사용할 수 있게 한다.

발음	격음화	106쪽

□ '못 했어요' 발음의 경우 격음화 현상에 주의하여 발음해야 한다. 받침 'ㄱ, ㄷ, ㅂ, ㅈ' 뒤에 'ㅎ'이 오는 경우에는 'ㅎ'을 [ㅋ], [ㅌ], [ㅍ], [ㅊ]으로 발음한다. '못 했어요'는 먼저 '못' 부분에서 음절의 끝소리 현상이 나타난 후 격음화 현상이 나타나 발음된다.

못 했어요 [몯 해써요] → [모태써요]

□ **연습용 추가 예문**

오늘은 비가 와서 등산을 못 하니까[모타니까] 다음에 할까요?

활동	선물	106~107쪽

□ 활동 1, 2는 선물과 축하를 주제로 이야기하고 읽고 쓰는 것이 목표이다. 활동 1에서 언제, 어떤 선물을 하는지에 대한 대화를 연습하고, 활동 2에서는 선물에 대한 내용이 포함된 축하 카드를 읽고 쓰는 활동을 한다.

□ 활동 1의 2번은 먼저 2명이 짝이 되어 1)에서 3)번까지 함께 해 보도록 한다. 4)번은 빈칸에 언제, 어떤 선물을 할지, 그 이유는 무엇인지를 써넣고 그것을 활용하여 이야기하도록 한다. 여기까지의 연습이 끝나면 학생들이 자유롭게 다른 짝을 찾아가 선물에 대해 말하는 연습을 할 수 있도록 한다.

□ 활동 2의 경우 준비한 선물에 대한 내용을 포함하여 축하 카드를 써 보는 활동이다. 생일 외에 언제 축하할 수 있는지, 어떤 선물을 준비할 수 있는지 등을 이야기하거나 정리하게 한 후 쓰게 한다. 과거의 경험을 활용하거나 곧 있을 일에 대해서 쓰게 할 수 있다. 카드나 이메일을 쓸 때의 갖추어야 할 형식, 즉 수신인, 첫인사, 용건, 끝인사, 발신인 순으로 내용을 제시해야 함을 알려 준다.

더하기 활동 | 53쪽, 2번

□ 자신이 생일에 어떤 선물을 받았는지에 대해 이야기해 보고 쓰게 한다.

세종한국어 | 교사용 지도서 1

기획	국립국어원	박미영 학예연구사
	국립국어원	조 은 학예연구사
집필	책임 집필	이정희 경희대학교 국제교육원 교수
	공동 집필	장미정 고려대학교 교양교육원 조교수
		김은애 서울대학교 언어교육원 대우교수
		천민지 한양대학교 국제교육원 교육전담교수
		김지혜 경희대학교 국제교육원 한국어 강사
		윤세윤 경희대학교 국제교육원 객원교수
	집필 보조	문진숙 경희대학교 국어국문학과 박사수료
		한재민 경희대학교 국어국문학과 박사수료
		정성호 경희대학교 국어국문학과 박사수료
		서유리 경희대학교 국어국문학과 박사과정

발행 국립국어원
주소: (07511) 서울특별시 강서구 금낭화로 154
전화: +82 (0) 2-2669-9775
전송: +82 (0) 2-2669-9727
누리집: www.korean.go.kr

초판 1쇄 발행   2022년 9월 1일
초판 2쇄 발행   2024년 6월 7일

편집·제작 공앤박 주식회사
주소: (05116) 서울특별시 광진구 광나루로56길 85, 프라임센터 3411호
전화: +82 (0) 2-565-1531
전송: +82 (0) 2-6499-1801
누리집: www.kongnpark.com / www.BooksOnKorea.com (구매)

총괄	공경용
편집	이유진, 김세훈, 이진덕, 여인영, 김령희, 성수정, 최은정, 함소연
영문 편집	Sung A. Jung, Paulina Zolta, Kassandra Lefrancois-Brossard
디자인	오진경, 서은아, 이종우, 이승희
삽화	강승희, 곽명주, 박가을, 이재영, 정원교
관리·제작	공일석, 최진호
IT 자료	손대철
마케팅	윤성호

ISBN 978-89-97134-46-5 (14710)
ISBN 978-89-97134-21-2 (세트)